L'ÉPREUVE DE L'ANGE

Anne Rice

L'ÉPREUVE DE L'ANGE

Traduit de l'anglais (États-Unis)
par Pascal Loubet

Michel LAFON

DU MÊME AUTEUR
CHEZ LE MÊME ÉDITEUR

L'Heure de l'Ange

Titre original : *Of Love and Evil*
The Songs of the Seraphim

7-13, bd Paul-Émile-Victor, Ile de la Jatte – 92521 Neuilly-sur-Seine.
www.michel-lafon.com

Pour mon fils, Christopher Rice.
Et pour mon ami Gary Swafford.

« Deviens mon aide. Deviens mon instrument
humain pour m'aider à accomplir ma mission sur Terre.
Abandonne cette existence vide que tu t'es façonnée
et consacre-moi ton esprit, ton courage,
ta ruse et ta grâce physique si peu commune.
Accepte, et ta vie sera détournée du mal. »

L'ange Malchiah à Toby
dans *L'Heure de l'Ange*

« Nous sommes, chacun de nous,
des anges qui n'ont qu'une aile,
et ne peuvent voler qu'en en enlaçant un autre. »

Luciano De Crescenzo

1

J'ai rêvé d'anges. Je les voyais et les entendais dans une immense et infinie nuit galactique. Je voyais les lumières qu'étaient ces anges, volant çà et là, dans un irrésistible scintillement, et certains, aussi grands que des comètes, semblaient si proches que leur feu aurait pu me dévorer, mais je ne sentais nulle chaleur. Nul danger.

Dans ce vaste royaume de lumière, je sentais autour de moi l'amour. J'avais l'impression d'être entièrement et intimement compris. D'être aimé et étreint, et de ne faire qu'un avec tout ce que je voyais et entendais. Et quelque chose proche de la tristesse m'envahissait et mêlait l'essence même de mon être avec les voix qui chantaient, car elles parlaient de moi.

J'entendais la voix de Malchiah qui s'élevait, rayonnante et immense, et il disait que je devais lui appartenir désormais. Qu'il m'avait choisi comme compagnon et que je devais faire ce qu'il me demanderait. Comme sa voix était puissante et brillante ! Pourtant, j'en percevais une autre, plus ténue, tendre et luisante, qui évoquait ma vie sur la Terre ; ceux qui avaient besoin de moi et m'aimaient ; des choses ordinaires et des rêves du commun, et les comparait, avec un courage indomptable, aux grandes missions de Malchiah.

Oh, comme cet entrelacement de thèmes était magnifique, et comme cette musique m'enveloppait tel un être aimé ! J'étais couché sur le sein de cette musique, et j'entendais Malchiah qui me réclamait. La deuxième voix refusait de céder, et elle était prête à chanter éternellement.

D'autres voix s'élevèrent – ou peut-être avaient-elles toujours été là. Elles chantaient tout autour de moi et se répondaient dans une grotte immense. Toutes, ces voix d'anges et ces autres voix, elles tissaient une étoffe, et je compris soudain que c'étaient celles de tous ceux qui priaient pour moi. De gens qui priaient autrefois, qui prieraient plus tard, beaucoup plus tard, ou éternellement ; et ces voix parlaient de ce que je pourrais devenir. Oh, petite âme triste que j'étais ! Et comme il était grandiose, ce monde immense et brûlant où je me trouvais.

Il me vint alors la certitude que toute âme vivante était l'objet de cette célébration bienheureuse, de ce chœur infini et incessant, que toute âme était aimée et comprise comme je l'étais moi-même.

Comment était-ce possible ? Comment, avec tous mes échecs, toutes mes peines amères, pouvais-je être aimé ? Oh, l'univers était rempli des âmes entrelacées dans ce chant triomphant et glorieux. Et toutes étaient aimées, alors même que leurs chants se fondaient dans cette infinie mélodie tissée d'or.

Ne me chasse pas. Ne me renvoie pas. Mais laisse-moi accomplir Ta volonté de tout mon cœur, priai-je. (Et j'entendis mes paroles devenir aussi fluides que la musique qui m'environnait et me portait.) *Je T'aime. Je T'aime, Toi qui as créé et nous as donné le monde, et pour Toi je ferai n'importe quoi. Je ferai ce que Tu me demandes. Malchiah, prends-moi. Prends-moi pour Lui. Laisse-moi accomplir Sa volonté !*

Pas un mot ne fut perdu dans cet immense nid d'amour qui m'entourait, cette immense et vaste nuit qui était aussi lumineuse que le jour. Car ni le jour ni la nuit ne comptaient ici, et l'un et l'autre se mêlaient dans la perfection, et les prières qui ne cessaient de s'élever et de se recouvrir, et les anges qui appelaient… tout cela ne faisait plus qu'un unique et immense firmament auquel je me rendis entièrement.

Quelque chose changea. J'entendais encore la voix plaintive de cet ange qui intercédait pour moi auprès de Malchiah. Et j'entendis la tendre réprobation de Malchiah et les dernières suppliques, puis les chants si palpables et si merveilleux qu'il me sembla que je n'aurais plus jamais besoin d'un corps pour vivre, aimer, penser ou sentir.

Pourtant, quelque chose changea.

Je vis, au-dessous de moi, monter la Terre et je sentis un froid douloureux me gagner. « Laisse-moi rester », voulus-je supplier, mais je ne le méritais pas. Le moment n'était pas venu pour moi. Pourtant, ce qui s'ouvrait désormais devant moi n'était pas la Terre que je connaissais, mais de vastes champs de blé resplendissant d'or sous un ciel et un soleil éclatants. Partout où se portait mon regard, je vis des fleurs sauvages, des « vendangeuses », et combien elles étaient délicates et robustes sous la brise qui les courbait. Telle était la richesse de la Terre, la richesse de ses arbres en fleur et de ses hordes de nuages.

Dieu bien-aimé, que je ne sois jamais éloigné de Toi, que jamais je ne Te cause du tort dans ma foi ou mon cœur, car cela, tout cela, Tu me l'as donné, Tu nous l'as donné à tous.

Et je pleurai de toute mon âme.

Les champs se brouillèrent au loin, un vide doré enveloppa le monde et je sentis l'amour m'étreindre et me serrer comme contre une poitrine, et les fleurs se muèrent en une masse de couleurs que je ne saurais décrire.

Les formes avaient disparu. Les couleurs s'étaient séparées d'elles, et la lumière elle-même coulait comme une douce fumée.

Un couloir apparut et j'eus la nette impression de le traverser. Et au bout de ce long couloir se dressait la haute silhouette de Malchiah.

Je vis ses cheveux noirs, l'ovale de son visage. Je vis son costume noir et simple à la coupe étroite.

Je vis son regard affectueux, puis son lent et fluide sourire. Je le vis tendre les bras vers moi.

– Bien-aimé, chuchota-t-il. J'ai à nouveau besoin de toi. J'aurai besoin de toi d'innombrables fois. J'aurai besoin de toi jusqu'à la fin des temps.

Il me sembla que les autres voix chantaient de tout leur cœur, mais je ne sus si c'était pour protester ou le louer.

Je voulais l'étreindre. Je voulais le supplier de me laisser rester encore un peu ici avec lui. Qu'il m'emmène à nouveau dans le royaume des lumières célestes. J'avais envie de pleurer – moi qui, enfant, n'avais jamais su pleurer. Et maintenant, adulte, je ne cessais de le faire, en songe et lorsque j'étais éveillé.

Malchiah s'avança vers moi d'un pas décidé, comme si la distance qui nous séparait était plus grande que je ne l'avais cru.

– Il ne te reste que quelques heures avant leur arrivée, dit-il. Tu dois être prêt.

J'étais éveillé.

Le soleil matinal entrait à flots par les fenêtres.

Le bruit de la circulation montait de la rue.

J'étais dans l'Amistad Suite, adossé aux oreillers, et Malchiah était assis, calme et serein, dans l'un des fauteuils près de l'âtre. Il me répéta que Liona et mon fils allaient bientôt arriver.

2

Une voiture allait les chercher à l'aéroport de Los Angeles pour les amener directement à Mission Inn. J'avais dit à Liona que je la retrouverais sous le campanaire, que j'avais réservé une suite pour elle et pour Toby – c'était aussi le prénom de mon fils – et que je m'occuperais de tout.

Mais je ne croyais toujours pas à sa venue.

J'avais disparu de sa vie dix ans plus tôt, l'abandonnant enceinte à dix-sept ans, et à présent je ressurgissais en l'appelant depuis la côte Ouest. Et quand j'avais découvert qu'elle n'était pas mariée, pas même fiancée, et sans compagnon, quand j'avais découvert cela, j'avais failli m'évanouir.

Bien sûr, je ne pouvais lui dire qu'un ange nommé Malchiah m'avait appris que j'avais un fils. Ni lui avouer mon métier avant de connaître cet ange et que je ne savais même pas si je pourrais la revoir.

Je ne pouvais pas lui expliquer que cet ange m'accordait cette rencontre avant mon départ pour une autre mission. Et, depuis qu'elle avait accepté de prendre l'avion pour venir me voir avec mon fils Toby, j'étais en permanence dans un état de jubilation et d'incrédulité.

– Écoute, avait-elle dit, étant donné ce que pense mon père de toi, il m'est plus facile de venir sur la côte Ouest. Et, bien sûr, j'amènerai ton fils. Ne crois-tu pas qu'il veuille rencontrer son père ?

Apparemment, elle habitait encore avec le sien, le vieux Dr Carpenter, comme je l'appelais à l'époque, et je ne fus pas surpris qu'il n'ait pour moi que du mépris. Sa fille et moi nous étions glissés à son insu dans leur maison d'amis et je n'avais jamais imaginé, pendant toutes ces années, qu'il en était résulté un enfant.

Mais ils allaient venir.

Malchiah descendit avec moi. Il paraissait parfaitement normal, comme toujours, vêtu d'un costume très semblable au mien. Sauf que le sien était en soie grise, et le mien en toile. Sa chemise était satinée, et la mienne bleue, comme celle d'un employé, amidonnée et repassée, et assortie d'une cravate marine.

À mes yeux, il avait l'air d'un être humain parfait, avec son regard émerveillé qui glissait sur les fleurs et les frondes des palmiers dans le ciel, comme s'il savourait tout. Il semblait même sentir la brise et y prendre un grand plaisir.

– Tu es en avance d'une heure, me dit-il.

– Je sais. Je ne tiens pas en place. Je me sentirai mieux si j'attends ici.

Il acquiesça comme si c'était tout à fait raisonnable, alors qu'en fait c'était ridicule.

– Elle va me demander ce que j'ai fait pendant ces dix dernières années. Que lui dirai-je ?

– Tu diras seulement ce qui est bon pour elle et pour ton fils. Tu le sais.

– Oui, je le sais, concédai-je.

– Sur ton bureau, continua-t-il, j'ai vu un long texte que tu as intitulé *L'Heure de l'Ange*.

– Oui, je l'ai écrit quand j'attendais que tu reviennes à moi. J'ai écrit tout ce qui s'est passé lors de ma première mission.

– C'était bien. Comme une forme de méditation, et cela a bien marché. Mais personne ne doit lire ce texte, Toby, ni maintenant ni peut-être jamais.

J'aurais dû m'en douter. Je fus un peu déçu, mais je comprenais. Je songeai avec gêne combien j'aurais été fier de raconter ma première mission pour les anges. Je m'étais même vanté auprès de l'Homme Juste, mon ancien patron, d'avoir changé de vie, que peut-être un jour il verrait mon vrai nom dans les librairies. Comme s'il s'en souciait, cet homme qui m'envoyait sous le nom de Lucky le Renard pour tuer, encore et encore. Il faut dire que, de toute ma vie d'adulte, je n'avais rien fait dont je puisse être fier. Et l'Homme Juste était la seule personne au monde avec qui j'avais des conversations régulières. Du moins avant que je retrouve Liona.

– Les Enfants des Anges vont et viennent comme nous, expliqua Malchiah. Seuls quelques-uns les voient, et ils passent inaperçus aux yeux des autres.

– Est-ce ce que je suis désormais un Enfant des Anges ?

– Oui, dit-il en souriant. C'est ce que tu es. Souviens-t'en.

Sur ces mots, il s'en alla.

Et je me rendis compte que j'avais encore cinquante minutes à attendre Liona.

Peut-être pourrais-je faire une petite promenade ou prendre un soda au bar.

Au même instant, je me retournai vers le hall, sans raison particulière. J'aperçus une silhouette sur le seuil, celle d'un jeune homme : les bras croisés, appuyé au mur, il me regardait. Il était aussi vivant que tout ce qui l'entourait, de la taille de Malchiah, mais avec des cheveux blond roux, de grands yeux bleus, et il portait un costume en toile identique au mien. Je lui tournai le dos pour éviter son regard insistant, puis je me rendis compte qu'il était improbable que ce type porte un costume exactement semblable au mien et me fixe ainsi, avec cette expression, presque de colère. Non, ce n'était pas de la colère.

Je me retournai. Il me regardait toujours. C'était de l'intérêt, pas de la colère.

Tu es mon ange gardien ?

Il hocha imperceptiblement la tête.

Une extraordinaire sensation de bien-être m'envahit. Mon angoisse disparut. *J'ai entendu ta voix ! Je t'ai entendu avec les autres anges !* J'étais fasciné et étrangement réconforté, et tout cela en une fraction de seconde.

Un petit groupe de clients franchit les portes de l'hôtel, passa devant la silhouette et la cacha, puis, lorsqu'ils obliquèrent dans une allée, je constatai que l'ange avait disparu.

Mon cœur cogna dans ma poitrine. Avais-je bien vu ? Avait-il vraiment hoché la tête ?

Le souvenir que je gardais de lui s'estompa rapidement. Oui, bien sûr, il y avait eu quelqu'un, là-bas, mais il m'était impossible, maintenant, de vérifier ce qui s'était passé.

Je balayai cette vision de mon esprit. S'il était mon ange gardien, que pouvait-il faire d'autre que me garder ? Et s'il ne l'était pas, si c'était quelqu'un d'autre, eh bien, qu'est-ce que cela pouvait me faire ? Mon souvenir continua de s'évanouir. J'éclaircirais tout cela avec Malchiah, plus tard. Malchiah saurait qui il était. Malchiah était avec moi. *Oh, nous sommes des êtres de si peu de foi.*

Un extraordinaire contentement s'empara soudain de moi. *Tu es un Enfant des Anges*, pensai-je, *et les anges t'amènent Liona et son fils, ton fils.*

Je fis une longue promenade autour de Mission Inn, savourant la perfection de cette fraîche journée californienne, passant devant tous mes lieux préférés, fontaines, entrées des chapelles, patios, puis arriva le moment où elle devait être là.

Je retournai au bout de l'allée, et j'attendis que Liona et mon fils s'arrêtent sous le campanaire et ses innombrables cloches.

Je n'étais pas là depuis plus de cinq minutes, à faire les cent pas, regarder autour de moi, consulter ma montre et marcher de temps à autre jusqu'au hall, quand soudain je vis qu'au milieu de tous les passants deux personnes attendaient sous les cloches.

L'espace d'un instant, je crus que mon cœur allait cesser de battre.

Je m'attendais à ce qu'elle soit jolie, parce qu'elle l'était, adolescente, mais ce n'était à l'époque que le bouton de cette fleur radieuse, et je ne voulus rien faire d'autre que la contempler et m'enivrer de la femme qu'elle était devenue.

Liona n'avait que vingt-sept ans. N'ayant qu'un an de plus, je savais combien elle était jeune. Mais elle avait le maintien d'une femme et était vêtue d'une manière aussi ravissante que recherchée.

Elle portait un tailleur rouge cintré à la taille qui s'épanouissait sur ses hanches étroites et dont la jupe couvrait tout juste les genoux. Le col ouvert de son chemisier découvrait un simple rang de perles. Son sac à main était en cuir rose tout comme ses gracieuses chaussures à hauts talons.

Quelle prestance elle avait !

Ses longs cheveux noirs flottaient sur ses épaules, découvrant à peine son front pâle, peut-être retenus par une barrette comme elle le faisait autrefois.

Je sentis que je me la rappellerais ainsi éternellement. Peu importait ce qui arriverait par la suite. Je n'oublierais jamais l'allure qu'elle avait, splendide en rouge, avec ses longs cheveux noirs d'adolescente.

Alors me revint en mémoire le passage d'un film. Il s'agit de *Citizen Kane*, où un vieil homme nommé Bernstein songe à la mémoire et à la manière dont les choses que nous voyons seulement quelques secondes peuvent nous frapper. Il décrit une jeune femme qu'il a aperçue une fois sur un ferry. « Une robe blanche, c'est ce qu'elle portait, dit-il. Et une ombrelle blanche. Je ne la vis que quelques secondes et elle ne me vit pas, mais je suis prêt à parier que pas un mois ne s'est écoulé depuis sans que j'aie pensé à cette fille. »

Eh bien, je sus que je me rappellerais toujours Liona très précisément telle qu'elle était en cet instant. Elle regardait autour d'elle et dégageait l'assurance et la maîtrise dont je me souvenais, le sérieux, et aussi le courage pur qui accompagnait ses gestes ou ses paroles les plus simples.

Je n'en croyais pas mes yeux de la voir si belle, si incroyablement belle.

Juste à côté d'elle se tenait le garçonnet de dix ans qui était mon fils. Et, quand je posai le regard sur lui, je vis mon frère Jacob qui était mort au même âge, et je sentis ma gorge se serrer et les larmes me monter aux yeux. *C'est mon fils.*

Allons, je ne vais pas aller les voir en pleurant, me dis-je. Mais, à l'instant où je tirais mon mouchoir, Liona me sourit. Elle prit le petit garçon par la main, remonta l'allée vers moi et me dit, d'une voix assurée et pleine d'entrain :

– Toby, je t'aurais reconnu n'importe où. Tu n'as absolument pas changé.

Son sourire était si rayonnant et si généreux que je fus incapable de lui répondre. Je ne pouvais pas parler. Je ne pouvais pas lui dire ce que cela signifiait pour moi de la voir, et quand je baissai les yeux sur le petit garçon, qui était tout le portrait de mon frère mort depuis tant d'années, avec ses cheveux et ses yeux noirs, ses épaules droites et son allure princière, son air confiant et intelligent, que n'importe quel homme aurait rêvé d'avoir pour fils, ce magnifique petit garçon, alors, je fondis en larmes.

– Je vais pleurer aussi si tu ne t'arrêtes pas, murmura-t-elle en me prenant le bras.

Il n'y avait chez elle aucune hésitation ni réticence, et, quand j'y repensai, je me rendis compte qu'elle n'en avait jamais montré. Elle était énergique, assurée, et sa voix grave et douce soulignait sa générosité.

Généreuse, ce fut le mot qui me vint à l'esprit quand je la regardai dans les yeux et qu'elle me sourit. Elle était généreuse. Généreuse et aimante, elle avait fait tout ce chemin parce que je le lui avais demandé, et je me surpris à le lui dire.

– Tu es venue. Tu as fait tout ce chemin. Jusqu'au dernier moment, j'ai cru que tu ne viendrais pas.

Le petit garçon sortit quelque chose de sa poche et me le tendit.

Je me penchai pour regarder, saisis ce qu'il me présentait, une petite photo de moi. Elle avait été découpée dans l'annuaire de mon lycée et plastifiée.

– Merci, Toby, lui dis-je.

– Oh, je l'ai toujours sur moi, répondit-il aussitôt. Je dis toujours aux gens : « C'est mon papa. »

Je lui fis un baiser sur le front. C'est alors qu'il me déconcerta. Il me prit dans ses bras, comme si c'était lui l'homme et moi l'enfant. Il me prit dans ses bras et m'étreignit. Je déposai un autre baiser sur sa petite joue si douce. Il me regarda d'un air plein d'innocence.

– J'ai toujours su que tu viendrais. Je veux dire, j'ai toujours su que tu réapparaîtrais un jour. Je le savais.

Il me dit cela avec autant de simplicité que le reste.

Je me relevai, déglutis et les regardai de nouveau tous les deux, puis je les enlaçai. Je les attirai contre moi, savourant leur douceur, leur suave pureté, une douceur si étrangère à ma personne et à la vie que je menais, ainsi que le délicieux parfum de fleurs qui émanait des cheveux noirs et soyeux de Liona.

– Venez, la chambre est prête, bafouillai-je. Tout est réglé à la réception, montons.

Je me rendis compte que le groom attendait depuis un moment avec son chariot à bagages et lui donnai un billet de vingt dollars.

Pendant quelques minutes, je n'osai la regarder, et ce que m'avait dit Malchiah me revint : « Ce que tu lui diras, ce sera pour son bien, pas pour le tien. »

Quelque chose d'autre me frappa aussi chez Liona : son sérieux, ce sérieux qui était l'autre face de l'assurance. Raison pour laquelle elle était venue ici sans hésitation, afin que son fils connaisse son père. Et ce sérieux me rappela quelqu'un que j'avais connu et aimé durant mes aventures avec Malchiah, et je réalisai que, lorsque j'avais rencontré cette personne – une femme d'un lointain passé –, j'avais songé à cette femme belle et vivante qui était là à cet instant avec moi.

C'est quelqu'un à aimer. C'est quelqu'un à aimer de tout ton cœur comme tu as aimé ces gens autrefois, quand tu étais avec les anges, quand tu étais avec des gens que tu ne pourrais jamais amener jusqu'à ton cœur. Pendant ces dix années, tu as vécu à l'écart de tous les vivants, mais Liona est aussi réelle que l'étaient les amis de Malchiah, un être que tu peux véritablement et totalement aimer. Peu importe que tu réussisses à l'amener à t'aimer. Tu peux l'aimer. Et ce petit garçon, tu peux l'aimer aussi.

Alors que l'ascenseur nous emportait, Toby me montra d'autres photos découpées dans l'annuaire de mon lycée. Il les portait sur lui en permanence.

– Ainsi, tu as toujours su mon nom, remarquai-je, ne sachant pas quoi dire et me contentant d'évidences.

Et il me répondit que oui, qu'il expliquait à tout le monde que son papa était Toby O'Dare.

– J'en suis heureux. Je ne peux pas te dire à quel point je suis fier de toi.

– Pourquoi ? demanda-t-il. Tu ne me connais même pas, en fait. (Sa voix était encore enfantine, mais, quand il prononça ces paroles, ce fut distinctement.) Tu n'en sais rien, peut-être que je suis mauvais élève.

– Ah, mais ta maman était une excellente élève.

– Oui, et elle l'est toujours. Elle va suivre des cours à Loyola. Elle n'est pas contente d'enseigner dans une école primaire. Et elle a toujours dix sur dix.

– Et toi aussi, n'est-ce pas ?

Il opina.

– Je sauterais une classe si on me le permettait. Mais tout le monde dit que ce serait mauvais pour mon développement social et mon grand-père le pense aussi.

Nous étions arrivés au dernier étage et je les conduisis le long des balcons puis de la véranda aux dalles rouges, au bout de laquelle se trouvait leur suite.

L'Innkeeper's Suite est la seule de Mission Inn qui soit vraiment aussi moderne et luxueuse que dans les cinq étoiles. Comme elle n'est disponible que lorsque les propriétaires de l'hôtel sont absents, je m'étais assuré de pouvoir la réserver à cette période.

Ils furent impressionnés comme il convient par les trois cheminées, l'immense salle de bains en marbre, la charmante véranda ouverte, et plus encore quand ils découvrirent que j'avais retenu la chambre voisine pour Toby, estimant qu'à dix ans il préférerait avoir sa propre chambre et son lit.

Puis je les emmenai dans l'Amistad Suite pour leur montrer les magnifiques peintures de la coupole, le lit à baldaquin et la jolie cheminée. Ils firent remarquer que c'était très « Nouvelle-Orléans », mais je crois qu'ils étaient ravis de leur logement, et tout se passait comme je l'avais prévu.

Nous prîmes place à la table en fer forgé ; je commandai du vin pour Liona et du Coca pour Toby, car il avoua que, si mauvais que ce soit pour la santé, il en buvait de temps en temps.

Il prit son iPhone et me montra toutes les fonctionnalités de l'appareil. Il l'avait rempli de photos de moi, et à présent que j'étais là il comptait bien en prendre beaucoup d'autres.

– Avec plaisir, acquiesçai-je.

Et aussitôt il se mua en photographe professionnel, recula en tenant le téléphone à bout de bras, pouce levé comme le faisaient les peintres du temps jadis avec leur pinceau, et nous mitrailla sous toutes les coutures en faisant le tour de la table.

Tandis qu'il prenait photo sur photo, un frisson me glaça. J'avais commis un meurtre dans l'Amistad, et pourtant j'y avais fait venir deux personnes comme si de rien n'était.

Bien sûr, Malchiah était venu me trouver ici, et le séraphin m'avait demandé pourquoi, au nom du Ciel, je ne me repentais pas de la misérable vie que j'avais menée. Et je m'étais repenti, et mon existence en avait été changée à jamais.

Il m'avait enlevé au XXIe siècle, et envoyé épargner une catastrophe à une communauté en danger dans l'Angleterre médiévale. Et, quand j'eus terminé cette première mission pour mon nouveau patron angélique, je m'étais réveillé ici, à Mission Inn, et avais rédigé le récit de mon premier voyage dans l'Heure de l'Ange. Le manuscrit était dans la chambre. Posé sur le bureau où j'avais tué ma dernière victime d'une piqûre dans le cou. Et de là aussi j'avais appelé mon ancien patron, l'Homme Juste, pour lui dire que je ne tuerais plus jamais pour lui.

Cependant, j'avais commis un meurtre ici. Un meurtre froid, calculé, du genre pour lequel Lucky le Renard était si justement renommé. Je frémis intérieurement, priant que l'ombre de ce mal ne touche jamais Liona ni Toby et qu'ils n'en subissent jamais les conséquences.

Cet hôtel avait été mon réconfort avant ce meurtre. Le seul lieu où je me sentais à l'aise, et c'était sûrement pour cette raison que j'avais amené Liona et mon fils dans cette chambre, à la table même où Malchiah et moi avions conversé. Il me semblait naturel qu'ils soient là, que je savoure la joie nouvelle de leur présence dans cette pièce où mes lugubres et sarcastiques prières de rédemption avaient été exaucées.

Je l'accorde, à mes yeux, ma manière de vivre avait sa logique. Et, pour Lucky le Renard, quel endroit pouvait être plus sûr que le théâtre de son dernier méfait ? Qui irait imaginer qu'un tueur à gages ose revenir sur le lieu de son crime ? Personne. J'en avais la certitude.

Après tout, j'avais été un assassin professionnel pendant dix ans et n'étais jamais revenu une seule fois sur les lieux d'aucun contrat, jusqu'à ce jour.

Mais, je devais l'avouer, j'avais fait venir ces deux innocents.

Je me sentis indigne de mon ancien amour et de mon fils retrouvé.

S'ils savaient qui tu étais et ce que tu faisais naguère, s'ils entrevoyaient le sang que tu as sur les mains, tu leur ferais un mal indicible et tu le sais.

Il me sembla entendre une petite voix, non loin, prononçant distinctement : *C'est vrai. Pas un mot qui puisse leur faire du mal.*

Je levai les yeux et vis un jeune homme qui passait devant la porte de l'Amistad et s'éloignait. C'était celui que j'avais vu en bas devant les portes du hall, vêtu d'un costume identique au mien, avec son toupet de cheveux roux et son regard pénétrant.

Je ne leur ferai aucun mal !

– Tu as dit quelque chose ? demanda Liona.

– Non, excuse-moi, chuchotai-je. Enfin, je parlais tout seul, je crois.

Je fixai la porte de l'Amistad. Je voulais chasser ce meurtre de mon esprit. La piqûre dans le cou, le banquier mort, selon toutes les apparences, d'une crise cardiaque, une exécution si proprement expédiée que tout le monde n'y avait vu que du feu.

Tu es un homme au cœur de pierre, Toby O'Dare, me dis-je, *pour être capable d'exploiter si facilement un nouveau sursis dans ta vie à l'endroit même où tu en as supprimé une autre avec un tel détachement.*

– Je ne te suis pas, dit gentiment Liona en souriant.

– Pardonne-moi. Trop de pensées, trop de souvenirs.

Je la regardai comme si je la voyais pour la première fois. Son visage était si innocent et si confiant.

Mais, avant qu'elle ait pu répondre, nous fûmes interrompus.

L'un des guides que j'avais demandés était arrivé, je lui confiai Toby pour qu'il l'emmène visiter les catacombes et toutes les autres merveilles que le gigantesque hôtel pouvait contenir. Il fut enchanté.

– Nous déjeunerons à ton retour, lui assurai-je.

Vint alors le moment que j'avais à la fois le plus redouté et le plus attendu : Liona et moi étions seuls. Elle avait ôté sa veste rouge et elle était charmante ; j'éprouvai un immense et irrésistible désir d'être avec elle sans que rien ni personne ne s'interpose entre nous, pas même des anges.

J'étais jaloux de mon fils à ce moment, car il allait revenir très bientôt. Et j'avais tellement conscience d'être observé par les anges que je rougis.

– Comment peux-tu me pardonner d'avoir disparu ainsi ? demandai-je soudain.

Aucun touriste ne se promenait sur la véranda. Nous étions là, seuls, à la table en fer forgé, comme je l'avais été si souvent par le passé. Assis parmi les arbres fruitiers en pots et les géraniums lavande, et elle était la plus belle fleur de toutes.

– Personne ne t'en a voulu d'être parti, dit-elle. Tout le monde savait ce qui s'était passé.

– Vraiment ? Comment ?

– Ne te voyant pas venir à la remise des diplômes, nous nous sommes dit que tu étais allé jouer du luth pour gagner un peu d'argent. Et il a été facile de découvrir que tu avais travaillé toute la nuit. Si bien qu'en rentrant le matin tu les avais trouvés à la maison. Et ensuite, eh bien, tu étais simplement parti.

– « Simplement parti »…, répétai-je. Je n'ai même pas assisté à leur enterrement.

– Ton oncle Patrick s'est occupé de tout. Je crois que les pompiers ont payé les frais, ou peut-être pas, ton père était policier après tout. Enfin, je crois qu'ils ont payé. Je ne suis pas sûre. Je suis allée à l'enterrement. Tous tes cousins étaient venus. Certains ont pensé que tu viendrais, mais tout le monde a compris ton départ.

– Après cette tragédie, j'ai pris un avion pour New York. J'ai emporté mon luth, l'argent que j'avais, les quelques livres que j'aimais, et je suis monté dans l'avion sans un regard en arrière.

– Je ne t'en veux pas.

– Vraiment, Liona ? Je n'ai même pas appelé pour prendre de tes nouvelles. Pas même pour te dire où j'étais.

– Toby, tu sais, quand une femme perd la tête comme c'est arrivé à ta mère, quand elle tue ses enfants, quand elle fait cela, elle peut tout faire. On a retrouvé un revolver dans l'appartement. Elle aurait pu t'abattre aussi, Toby. Elle n'avait plus toute sa tête. Je n'ai pas pensé à moi, mais seulement à toi.

Je restai silencieux un long moment, puis :

– Tout cela n'a plus d'importance pour moi, Liona. Tout ce qui compte, c'est que tu me pardonnes. Je ferai parvenir de l'argent à mon cousin Patrick. Je paierai l'enterrement. Ce n'est pas un problème. Ce qui m'importe, c'est toi. Toi et Toby… et puis, les hommes dans ta vie et tout ce que cela peut impliquer.

– Il n'y a pas d'homme dans ma vie, Toby. Du moins, il n'y en avait pas jusqu'à toi. Et n'imagine pas que j'attends de toi une demande en mariage. Je n'ai amené Toby ici que pour toi et pour lui.

La demander en mariage. Si je m'en étais cru capable, je serais tombé à genoux en cet instant sur la véranda et j'aurais fait ma déclaration.

Mais je n'en fis rien. Je détournai la tête et pensai aux dix années de ma vie que j'avais perdues en travaillant pour l'Homme Juste. Je pensai à toutes les vies que j'avais supprimées en travaillant pour l'« agence », les « gentils », ou Dieu sait quelles personnes à qui j'avais vendu avec entrain et enthousiasme mon âme de dix-huit ans.

– Toby, tu n'es pas obligé de tout me raconter, dit-elle soudain. Tu n'as pas à m'expliquer à quoi tu as passé ton temps. Il n'y a pas d'homme dans ma vie parce que je ne voulais pas que mon fils ait un beau-père et j'étais sacrément bien décidée à ce qu'il n'en ait pas non plus un différent chaque mois.

Je hochai la tête. Je lui en étais plus reconnaissant que je n'aurais su le dire.

– Il n'y a pas eu de femme dans la mienne, Liona, dis-je. Oh, de temps en temps, juste pour prouver que j'étais un homme, sans doute, il y en a eu, en passant. Mais on ne peut pas dire autrement : en passant. Ce n'était jamais... intime.

– Tu as toujours été un vrai gentleman, Toby. Tu l'étais déjà, enfant. Tu utilises toujours les mots corrects.

– Eh bien, ce n'était pas très fréquent, Liona. Et des mots incorrects donneraient à ces moments une nuance joyeuse qu'ils n'ont jamais eue.

Elle éclata de rire.

– Personne ne parle comme toi, Toby. Je n'ai jamais connu personne comme toi. Tu m'as tant manqué.

Je rougis, je le sais. J'avais péniblement conscience de la présence de Malchiah et de mon ange gardien, qu'ils fussent visibles ou non.

Et l'ange de Liona ? Seigneur ! Durant une fraction de seconde, j'imaginai un être ailé debout derrière elle. Par bonheur, aucune créature de ce genre n'apparut.

– Tu as encore l'air innocent, continua-t-elle. Tu as toujours ce même regard. Comme si tout ce que tu voyais était un miracle.

Moi ? Lucky le Renard ? Le tueur à gages ?

– Tu ne sauras jamais, murmurai-je.

Je me rappelai que l'Homme Juste m'avait dit la nuit de notre rencontre n'avoir jamais vu un regard aussi froid que le mien.

– Tu as un peu forci, dit-elle, comme si elle s'en rendait seulement compte. Tu es plus musclé, tu étais si mince quand tu étais enfant… Mais ta tête est restée la même et tes cheveux sont toujours aussi épais. Je les trouve plus blonds, peut-être que c'est le soleil de Californie. Et tes yeux paraissent presque bleus, parfois. (Elle se détourna et ajouta à mi-voix :) Tu es toujours mon gentil garçon.

Je souris. Je me rappelai alors qu'elle m'appelait ainsi, son gentil garçon. Elle le disait dans un chuchotement.

Je ne savais pas très bien comment réagir aux compliments des jolies femmes.

– Parle-moi de tes études, dis-je, pour changer de sujet.

– Littérature anglaise. Je veux enseigner à l'université. Je veux enseigner Chaucer ou Shakespeare. Je n'ai pas encore décidé lequel. Cela m'a plu d'enseigner à l'école, plus que Toby ne veut bien le dire. Il dédaigne les garçons de son âge. Il est comme toi. Il pense qu'il est grand et parle plus aux adultes qu'aux enfants. C'est sa nature, tout comme la tienne.

Cela nous fit rire, parce que c'était vrai. Liona avait un petit rire très doux, en guise de réponse ou de ponctuation – les gens du Sud font cela naturellement, tout le temps.

– Te souviens-tu quand nous étions enfants et que nous voulions tous les deux devenir professeurs ? demanda-t-elle. Rappelle-toi, tu disais que si tu y arrivais et que tu avais une belle maison sur Palmer Avenue, tu serais le plus heureux des hommes. Toby va à l'école Newman, au fait, et il te dira que c'est la meilleure école de la ville, si jamais tu le lui demandes.

– Elle l'a toujours été.

– Eh bien, certains ne seraient pas d'accord. Mais le fait est que Toby est juif, il va donc à Newman. Je suis heureuse. Tu ne m'as pas abandonnée dans la misère, tu m'as laissé un trésor. Et c'est ainsi que je l'ai toujours vu, comme je le vois maintenant. (Elle croisa les bras et se pencha en avant, adoptant un ton sérieux et détaché à la fois.) Quand j'ai pris l'avion, je me suis dit : *Je vais lui montrer le trésor qu'il m'a laissé. Et je vais lui montrer ce que ce trésor pourrait représenter pour lui.*

Elle s'interrompit. Je ne répondis rien. J'en étais incapable. Elle le sut en voyant mes larmes. J'étais incapable d'exprimer en mots tout ce bonheur et tout cet amour.

Malchiah, puis-je l'épouser ? Suis-je libre de le faire ? Et cet autre ange, est-il proche de moi ? Veut-il que je me lève et que je la prenne dans mes bras ?

3

Cet après-midi-là, nous visitâmes la mission de San Juan Capistrano.

Il y avait beaucoup de merveilles à voir pour un petit garçon de l'âge de Toby sur la côte Ouest : Disneyland, le parc des studios Universal, et bien d'autres endroits dont je ne connaissais pas les noms.

Mais je tenais à lui montrer la mission, et il parut tout à fait ravi à cette idée. Bien que j'aie dû leur prêter des bonnets à tous les deux, Liona et lui apprécièrent beaucoup la Bentley décapotable.

Quand nous arrivâmes à la mission, je leur fis faire tranquillement le tour du site, leur montrai mes coins préférés du jardin et le bassin des carpes, qui enchanta Toby. Mais ce qui le fascina le plus, ce fut l'histoire du grand tremblement de terre qui détruisit l'église.

Il passait un excellent moment et prit des dizaines de photos avec son iPhone. À un moment, dans la boutique de souvenirs, entre les rosaires et les bijoux indiens, je demandai à Liona si je pouvais emmener Toby dans la chapelle pour prier.

– Je sais qu'il est juif, lui précisai-je.

– Cela ne fait rien. Tu peux l'emmener et lui parler comme bon te semblera.

Nous entrâmes sur la pointe des pieds, car l'endroit était silencieux, les personnes présentes étaient très absorbées sur les prie-Dieu en bois, et les cierges éclairaient la pénombre d'une douce lumière.

Je l'amenai devant, et nous nous agenouillâmes sur les prie-Dieu réservés aux cérémonies de mariage.

Je pensai à tout ce que j'avais vécu avec Malchiah depuis ma dernière visite dans cette chapelle. Et quand je levai les yeux vers le tabernacle, quand je vis l'autel et la lampe de sanctuaire à côté, je fus submergé de gratitude du simple fait d'être en vie et, plus encore, d'avoir reçu ce présent qu'était Toby.

Je me penchai vers lui. Il était agenouillé, les mains jointes tout comme moi, et ne semblait rien avoir à redire au fait que nous étions dans un lieu de culte catholique.

– Je veux te dire quelque chose qu'il faut que tu te rappelles toujours. (Il hocha la tête.) Je crois que Dieu est dans cette maison. Mais Il est aussi partout. Dans toutes les molécules de tout ce qui existe. Tout est partie de Lui, tout est Sa création, et je crois en Lui et en tout ce qu'Il a fait. (Il m'écouta sans me regarder, les yeux baissés, et se contenta d'acquiescer.) Je ne te demande pas de faire comme moi, continuai-je. Mais sache que je crois vraiment en Lui, et si je n'étais pas convaincu qu'Il m'a pardonné de vous avoir abandonnés, toi et ta mère, je ne sais pas si j'aurais jamais eu le courage de décrocher le téléphone. Et maintenant il faut que j'obtienne ton pardon et celui de ta mère, et je vais m'y attacher.

– Je te pardonne, dit-il d'une toute petite voix. Je te le jure.

Je souris et déposai un baiser sur le sommet de son crâne.

– Je le sais. Je l'ai su dès que je t'ai vu. Mais le pardon ne vient pas d'un seul coup, parfois, il faut l'entretenir, et je suis prêt à faire tout ce qu'il faudra pour cela. Mais... ce n'est pas tout ce que j'avais à te dire. Il y a autre chose.

– J'écoute…

– Souviens-toi de ceci. (J'hésitai, ne sachant pas très bien par où commencer.) Parle à Dieu. Quoi que tu éprouves, quoi que tu doives affronter, que tu sois blessé, déçu ou dérouté. Parle à Dieu. Et ne cesse jamais de Lui parler. Tu comprends ? Parle-Lui. Même si beaucoup de choses vont mal en ce monde, que d'autres se passent bien, facilement ou difficilement, cela ne veut pas dire qu'Il n'est pas là. Je ne parle pas d'ici, dans cette chapelle. Je veux dire partout. Parle-Lui. Peu importe le nombre d'années qui passent, quoi qu'il arrive, parle-Lui toujours. Tu veux bien essayer de ne pas l'oublier ?

– Oui. Quand dois-je commencer ?

– Quand tu voudras, répondis-je avec un petit rire.

Il réfléchit gravement, puis il hocha la tête.

– Je vais Lui parler maintenant, dit-il. Il vaut mieux que tu m'attendes dehors.

Je fus stupéfait. Je me levai, déposai un autre baiser sur son front et lui dis que je serais devant la porte quand il voudrait me rejoindre.

Un quart d'heure plus tard il sortit, et nous descendîmes ensemble les allées du jardin ; il recommença à prendre des photos, sans beaucoup parler. Mais il marchait près de moi, tout près. Et quand je vis Liona assise sur un banc sourire en nous voyant, j'éprouvai un tel bonheur que je ne trouvai aucun mot pour l'exprimer. Je savais que je ne le pourrais jamais.

Toby et moi retournâmes vers la gigantesque coquille vide de l'église, en ruine depuis le tremblement de terre. Alors je vis Malchiah, nonchalamment appuyé, malgré ses beaux vêtements, contre le mur de brique poussiéreux.

– Le revoici, dit Toby.

– Tu l'as déjà vu ?

– Oui, il nous observait dans la chapelle.

– Eh bien, on peut dire que je travaille pour lui.

– Il est jeune pour être le patron de quelqu'un, déclara-t-il.

– Ne te laisse pas abuser, répondis-je. Attends-moi un instant. Je crois qu'il veut me parler et n'ose pas nous déranger.

J'allai rejoindre Malchiah et m'approchai, afin que les touristes ne puissent entendre ce que je disais.

– Je l'aime. Est-ce possible ? De l'aimer ? J'aime Toby, oui. C'est mon fils, c'est ce que doit faire un père et je remercie le Ciel de me l'avoir donné, mais Liona ? Ai-je assez de temps pour l'aimer ?

– Du temps pour l'aimer, répéta-t-il en souriant. Oh, ce sont de si belles paroles, et comme tu me fais prendre conscience de la difficulté de ce que je te demande. Du temps, c'est ce que tu dois me donner.

– Mais elle ? insistai-je.

– Toi seul connais la réponse, Toby. Ou bien peut-être devrais-je dire que vous la connaissez tous les deux. Je crois qu'elle la connaît aussi.

J'allai demander à l'autre ange, mais il m'avait quitté.

Je retrouvai mon fils près du bassin aux carpes, bien décidé à prendre en photo un poisson qui ne voulait pas se laisser faire. L'après-midi passa vite.

Nous courûmes les magasins à San Juan Capistrano, puis je les emmenai le long de la côte. Ni l'un ni l'autre n'avait jamais vu le Pacifique, qui nous offrit des panoramas à couper le souffle que Toby voulut absolument immortaliser.

Nous dînâmes sous les lumières tamisées du vaste Duane's Steakhouse, à Mission Inn. En cachette, Liona fit goûter un peu de son vin rouge à Toby.

Nous parlâmes de La Nouvelle-Orléans, de l'ouragan Katrina et des horreurs que la ville avait subies. Cela avait été une grande aventure pour Toby ; son grand-père lui avait fait faire ses devoirs dans les motels où ils avaient dû trouver refuge après la catastrophe. Pour Liona, la ville avait perdu un peu de son âme.

– Tu crois que tu reviendras y vivre un jour ? demanda Toby.

– Je ne sais pas, dis-je. Je crois que je suis un habitant de la Côte, à présent.

Et très vite, si vite que j'en eus le cœur brisé, mon fils déclara :

– Je pourrais très bien habiter ici.

Une expression peinée se peignit brusquement sur le visage de Liona. Elle me regarda. J'avais du mal à dissimuler ce que j'éprouvais. Des désirs, des espoirs, un déferlement soudain de rêves m'empêchaient de penser. Une ombre s'abattit sur moi. *Tu n'as pas droit à elle, pas droit à cela.*

Dans la pénombre du restaurant, je reconnus soudain les deux hommes assis à la table voisine. Malchiah et mon ange gardien. Ils étaient immobiles comme des statues, me considérant comme le font souvent les personnages de tableaux, sereins, du coin de l'œil.

Je déglutis et me levai. Un désir monta en moi. Je ne voulais pas qu'ils le sachent.

À la porte de sa suite, Liona s'attarda. Toby avait fièrement couru à sa chambre à lui, pour y prendre sa douche.

Quelque part dans l'obscurité de la véranda, les deux autres étaient là. Je le savais. Elle l'ignorait. Peut-être lui étaient-ils invisibles.

Je restai immobile, silencieux, n'osant pas m'approcher d'elle, la toucher ni me pencher pour un tout petit baiser. J'étais éperdu de désir. Je souffrais le martyre.

Est-il possible que vous compreniez, tous les deux, que lorsque je prendrai cette femme dans mes bras elle s'attendra à davantage qu'une étreinte fraternelle ? Bon sang, c'est ainsi qu'agirait un gentleman, ne serait-ce que pour lui donner la possibilité de dire non !

Silence.

Peut-être pourrais-je vous suggérer d'aller vous occuper de quelqu'un d'autre pendant un petit instant ?

J'entendis distinctement un rire. Pas moqueur ni méprisant, mais tout de même un rire.

J'embrassai Liona à la sauvette, sur la joue, et en regagnant ma chambre je savais qu'elle était déçue. Je l'étais aussi. Bon sang, j'étais furieux ! Je me retournai et m'adossai contre la porte de l'Amistad. Bien entendu, ils étaient assis à la table ronde. Malchiah arborait son habituelle expression sereine et affectueuse, mais mon ange gardien paraissait angoissé.

Un torrent de paroles furieuses monta à mes lèvres, mais les deux anges avaient déjà disparu.

Vers 23 heures, je me levai et allai sur la véranda. Je ne parvenais pas à trouver le sommeil.

Il faisait humide et froid, comme souvent la nuit en Californie, même quand la journée a été tiède. Je restai exprès à grelotter. J'envisageai d'aller frapper à sa porte. Je priai. Je m'inquiétai. Je guettai. Jamais de ma vie je n'avais rien désiré autant qu'elle en cet instant.

Rien au monde ne me semblait plus réel que son corps, dans cette suite, allongé sur ce lit.

Soudain, je fus saisi de honte. Dès le premier instant où je lui avais parlé au téléphone, je me l'étais imaginée dans mes bras et je le savais. Qui espérais-je tromper ? Pourquoi prétendre qu'elle attendait quelque chose, que je me comportais en gentleman, et – ah oui ! – la grandeur de l'amour et des retrouvailles ? Je voulais l'embrasser et la posséder. Bon sang, je l'aimais. Au fond de mon cœur, j'en étais certain. Je l'aimerais jusqu'à mon dernier jour. Pour elle, j'étais prêt, prêt à tout.

J'allais rentrer dans ma chambre quand je vis Malchiah non loin.

– Oui, quoi ? demandai-je brutalement.

Manifestement, il fut surpris, mais il se ressaisit aussitôt. Il me sembla déceler un rien de déception sur son visage. Mais il répondit en souriant. Sa voix était caressante, emplie d'une tendresse affectueuse.

– D'autres êtres humains donneraient presque tout pour voir les preuves de la Providence qui t'ont été dévoilées, dit-il. Mais tu es toujours humain.

– Qu'en sais-tu ? demandai-je. Tu observes peut-être les hommes depuis l'aube des temps, mais cela ne veut pas dire que tu saches pour autant ce que c'est d'en être un. (Il ne répondit pas. Son expression patiente et affectueuse redoubla ma fureur.) Vas-tu m'accompagner éternellement ? Je ne serai plus jamais seul avec une femme sans que vous soyez là tous les deux, toi et mon ange gardien ? C'est bien ce qu'il est, n'est-ce pas ? Mon ange gardien ? Comment s'appelle-t-il ? Allez-vous tourner autour de moi éternellement ? Je suis un être humain, dis-je en pointant vers lui mon index comme un revolver. Un homme ! Je ne suis ni un moine ni un prêtre !

– En tout cas, tu vivais comme l'un d'eux quand tu étais un tueur.

– Que veux-tu dire par là ?

– Tu te refusais la chaleur et l'amour d'une femme. Tu pensais ne pas les mériter. Tu ne supportais pas de côtoyer l'innocence des femmes et tu n'acceptais pas même l'idée d'être aimé. Les mérites-tu désormais ? Y es-tu prêt ?

– Je ne sais pas, murmurai-je.

– Veux-tu que je disparaisse ? demanda-t-il.

Mon cœur battait la chamade et je commençai à ruisseler de sueur.

– Le désir me rend stupide, chuchotai-je. Non, je ne veux pas que tu partes. Je ne veux pas, répétai-je en secouant la tête, vaincu.

– Toby, les anges ont toujours été avec toi. Ils ont toujours vu ce que tu faisais. Il n'y a pas de secrets pour le Ciel. La seule différence, c'est qu'à présent tu peux nous voir. Et cela devrait te fortifier. Tu le sais… Le nom de ton ange gardien est Shemariah.

– Écoute, je veux être rempli de respect, de gratitude, d'humilité, de nobles sentiments ! Bon sang, j'aimerais être un saint ! bafouillai-je. Mais je n'en suis pas capable. Je ne peux pas... Comment as-tu dit qu'il s'appelait ?

– De quoi n'es-tu pas capable ? demanda-t-il. De vivre dans la retenue ? De te refuser la gratification immédiate de tes passions avec cette femme que tu côtoies depuis moins de vingt-quatre heures ? De ne pas te précipiter pour profiter de sa vulnérabilité ? D'être l'homme honorable que ton fils attend peut-être que tu sois ? (Ses paroles n'auraient pas pu me piquer davantage si elles avaient été prononcées dans la colère. Sa voix douce et persuasive balaya tous les mensonges dont je me berçais.) Tu crois que je ne comprends pas, continua-t-il calmement. Je vais te dire ce que je pense : si tu séduisais cette femme maintenant, elle s'en voudrait et t'en voudrait encore après avoir eu le temps d'y réfléchir. Pendant dix ans, elle a vécu seule, pour son bien et celui de son fils. Respecte-la. Gagne sa confiance. Cela prend du temps, n'est-ce pas ?

– Je veux qu'elle sache que je l'aime.

– T'ai-je dit que tu ne pouvais pas le lui confier ? T'ai-je dit que tu ne pouvais pas lui montrer ce que tu retiens en toi ?

– Oh, encore des paroles d'ange ! m'emportai-je à nouveau.

Mes mots firent naître un sourire sur son visage.

Nous restâmes silencieux un long moment. J'avais honte de m'être mis en colère.

– Je ne peux pas rester avec elle, n'est-ce pas ? demandai-je. Je ne parle pas de désir. Je parle d'amour sincère, de compagnie, d'apprendre à tout aimer en elle, d'être sauvé chaque jour par elle. Tu voulais que je fasse la connaissance de mon fils pour leur bien à tous les deux. Mais je ne peux pas les inclure tous les deux dans ma vie, c'est cela ?

– Tu as suivi une voie sombre et dangereuse, Toby.

– N'ai-je pas été pardonné ?

– Oui, tu l'as été. Mais est-il sage de t'éloigner du genre de vie que tu as mené sans t'attendre à ce qu'il y ait des conséquences ?

– Non, j'y pense tout le temps.

– Serait-il juste que tu ne fasses aucune réparation ?

– Non, je dois la faire.

– Serait-il juste que tu brises ton vœu de faire le bien dans le monde au lieu du mal ?

– Non. Je ne veux jamais rompre ce vœu, jamais. J'ai envers le monde une dette accablante. Dieu merci, tu m'as montré comment la rembourser.

– Je continuerai à te le montrer. En attendant, sois fort pour elle, pour la mère de ton fils, et sois fort pour lui et l'homme qu'il peut devenir. Et ne te fais pas d'illusions quant aux actes que tu as commis autrefois, n'oublie pas leur énormité. Rappelle-toi que cette belle jeune femme a un ange aussi. Elle ne se doute pas un instant de ce que tu as été pendant toutes ces années. Sinon, elle ne te laisserait peut-être pas approcher votre enfant.

J'acquiesçai. C'était trop douloureux d'y penser.

– Laisse-moi te dire une chose, continua-t-il. Même si je te quittais maintenant, si tu ne me revoyais jamais, si tu finissais par croire que nos discussions n'étaient qu'un rêve, jamais tu ne pourrais t'installer dans le quotidien sans que ta conscience t'anéantisse. En vérité, la conscience peut exiger des humains des choses que le Créateur ne demande pas et que les anges ne suggèrent pas, parce qu'ils n'ont pas besoin de le faire. La conscience fait partie de la condition humaine. Et ta conscience te rongeait avant que je vienne à toi. Tu n'as jamais été sans conscience, Toby. Ton ange gardien, Shemariah, pourrait te le dire.

– Pardonne-moi, dis-je à mi-voix. Pardonne-moi pour tout cela. Je t'ai failli. Malchiah, ne renonce pas à moi.

Il eut un petit rire rassurant.

– Tu ne m'as pas failli ! dit-il gentiment. Les miracles existent. Jamais les humains ne s'y font. Je les observe depuis l'aube des temps. Et ils ne manquent jamais de me surprendre.

Je souris. J'étais épuisé et loin d'être serein, mais je savais qu'il disait la vérité, bien sûr. Ma colère m'avait quitté.

– Une dernière chose, dit-il chaleureusement, le visage empreint d'une indicible compassion. De la part de Shemariah, me confia-t-il. Il dit que si tu ne peux être un saint, un moine ou un prêtre, alors envisage d'être un héros.

– Bravo ! dis-je en riant. C'est vraiment bien trouvé. Shemariah sait toucher la corde sensible, n'est-ce pas ? (Je continuai de rire, sans pouvoir m'en empêcher.) Quand pourrai-je lui parler ?

– Tu lui parles depuis des années, répondit Malchiah. Et, à présent, il te parle. Et qui suis-je pour m'interposer au milieu d'une belle conversation ?

Je me retrouvai seul sur la véranda. Comme cela, d'un coup. Seul.

La nuit était vide. J'étais pieds nus, et gelé.

Le lendemain matin, je me rendis dans la suite de Liona pour prendre le petit déjeuner.

Toby, levé et habillé d'un blazer bleu et d'un pantalon de toile, m'annonça qu'il avait dormi dans sa chambre. J'approuvai, c'était normal pour un jeune garçon de dix ans, même si sa mère disposait d'un immense lit dans une luxueuse suite.

Nous mangeâmes tous ensemble autour de la table couverte d'une magnifique nappe, d'argenterie et de plats délicieux gardés au chaud sous des cloches.

Je sentis que je ne supporterais pas cette séparation. J'étais incapable de les quitter, mais je savais très bien que c'était ce que je devais faire.

J'avais apporté mon sac en cuir et, une fois le petit déjeuner débarrassé, j'en sortis deux dossiers.

– Qu'est-ce que c'est ? demanda Liona.

J'expliquai qu'elle pourrait lire les documents dans l'avion, mais elle insista.

– Deux fonds de placement, un pour toi et un pour Toby, et une rente mensuelle qui devrait couvrir toutes vos dépenses. Je n'ai aucun problème pour verser cette somme et il me reste beaucoup d'argent.

– Je ne t'ai rien demandé, répondit-elle simplement.

– Tu n'as pas à me demander. C'est moi qui désire vous donner cela. Il y a assez pour payer les études de Toby, si tu souhaites qu'il en fasse. Il peut étudier en Angleterre, en Suisse, dans les meilleurs établissements qui soient. Il pourrait y aller l'été et passer l'année à la maison. Je ne sais pas comment cela fonctionne. Je n'ai jamais su. Mais toi, si. Et les gens de l'école Newman le savent. Ton père aussi saura.

Elle resta assise, les dossiers à la main, sans les ouvrir, et des larmes commencèrent à ruisseler sur ses joues.

Je l'embrassai. Je la serrai dans mes bras le plus tendrement que je pus.

– Je vous enverrai d'autres renseignements quand je les aurai. Les avocats posent toujours tellement de questions et cela prend énormément de temps. (J'hésitai, puis :) Écoute, beaucoup de choses te laisseront perplexe. Mon nom n'apparaît pas sur ces documents, mais sache que celui qui y figure est celui que j'utilise toujours pour mes affaires. Justin Booth. Je m'en suis servi pour payer les billets d'avion et pour les chambres.

– Toby, je ne m'attendais pas à cela.

– Voici autre chose. C'est un téléphone mobile prépayé. Garde-le auprès de toi. Le « nom » et le code PIN sont inscrits au dos. Tu n'as besoin de rien d'autre pour renouveler l'abonnement. Tu peux le faire très simplement, pratiquement n'importe où. Je t'appellerai sur ce téléphone.

Elle hocha gravement la tête. Il y avait quelque chose de profondément courtois dans sa manière d'accepter tout cela, sans poser de questions sur tous ces mystères ni sur mon pseudonyme.

Je l'embrassai de nouveau, sur les paupières, les joues, puis sur les lèvres. Elle était plus tendre et douce que jamais. Le parfum de ses cheveux était le même qu'autrefois. J'eus envie de la soulever dans mes bras, de l'emporter dans la chambre et de la lier à moi pour toujours.

Il était tard. La voiture attendait déjà en bas. Le petit Toby avait fait ses bagages et était prêt à reprendre l'avion. Je ne crois pas que cela lui plut de me voir embrasser sa mère. Il se planta auprès d'elle et me regarda d'un air résolu. Et, quand je l'embrassai lui aussi, il demanda, soupçonneux :

– Quand reviendrons-nous te voir ?

– Dès que je pourrai, répondis-je.

Dieu savait quand ce serait possible.

La descente de l'escalier fut la plus douloureuse de ma vie, bien que je me réjouisse de voir Toby si ravi de dévaler en courant les cinq volées de marches de la rotonde et d'entendre l'écho de ses pas. Il perdit un peu de sa bonne éducation seulement en cet instant.

Trop vite, nous fûmes devant l'hôtel où attendait la voiture.

C'était une journée californienne ensoleillée, les fleurs de l'hôtel étaient plus splendides que jamais et les oiseaux chantaient dans les arbres.

– Je t'appellerai dès que possible, dis-je.

– Fais quelque chose pour moi, murmura-t-elle.

– Ce que tu veux.

– Ne me dis pas que tu appelleras si tu ne comptes pas le faire.

– Non, ma chérie, répondis-je. Je t'appellerai. Quoi qu'il arrive. Je ne sais tout simplement pas quand. (Je réfléchis un instant.) Donne-moi du temps.

Je la pris dans mes bras, et cette fois je l'embrassai sans me soucier qu'on nous voie, même si c'était le petit Toby. Quand je la lâchai, elle recula de quelques pas, comme si elle avait perdu l'équilibre.

Je pris Toby dans mes bras, le regardai dans les yeux et l'embrassai sur le front et les joues.

– Si j'avais demandé à Dieu un fils parfait, dis-je, eh bien, Il n'aurait pas pu faire mieux, à mon avis.

Puis la voiture démarra et ils s'en allèrent, et le monde magnifique de Mission Inn me parut de nouveau aussi vide qu'il l'avait été jusque-là.

4

J'étais revenu dans ma suite et découvris que Malchiah m'y attendait. Assis à la table en fer forgé, il pleurait, le visage dans les mains.

– Qu'est-ce qui t'arrive ? lui demandai-je en m'asseyant. Qu'est-ce qu'il y a ? Est-ce ma faute ? Qu'est-ce que j'ai fait ?

Il se redressa et me fit un doux et triste sourire.

– Tu t'inquiètes vraiment pour moi ? demanda-t-il.

– Oui, je ne t'ai encore jamais vu pleurer. Tu as l'air d'avoir le cœur brisé.

– Je n'ai pas le cœur brisé. Mais je pourrais. Vous m'avez fait pleurer, tous les trois.

– Pourquoi ?

– Dans l'amour que vous vous portez, j'ai entendu l'écho du Ciel.

– Maintenant, tu me fais monter les larmes aux yeux, dis-je.

Je ne pouvais détacher mon regard de lui, de cette expression qui venait de son cœur. J'avais envie de le prendre dans mes bras.

– Tu n'as pas besoin de me réconforter, dit-il en souriant. Mais je suis ému que tu veuilles le faire. Tu ne peux savoir combien est mystérieuse pour nous la manière dont les êtres humains désirent la complétude. Chaque ange est complet. Les hommes et les femmes de cette Terre ne le sont jamais, mais, quand ils atteignent cette complétude dans l'amour, ils touchent le Ciel.

– Puisque nous parlons de mystère… Tu as l'air d'un homme, tu parles comme un homme, mais tu n'en es pas un.

– Non, certainement pas.

– De quoi as-tu l'air quand tu te tiens devant le trône de Dieu ?

Il eut l'un de ses petits rires réprobateurs.

– Je suis un esprit devant le trône du Créateur, dit-il doucement. Je suis un esprit qui habite en ce moment un corps fait pour ce monde.

– Te sens-tu seul parfois ?

– À ton avis ? Puis-je me sentir seul ?

– Non, dis-je. Seuls les anges des films de Hollywood se sentent seuls.

– C'est si vrai, dit-il avec un sourire rayonnant. Il viendra un temps où tu comprendras ce que je suis, parce que tu seras comme moi, mais je ne saurai jamais ce que c'est d'être humain. Je ne peux que m'en émerveiller.

– Je ne veux jamais être séparé d'eux, dis-je. Je ne pense qu'à cela. Si je ne peux pas être avec Liona et

Toby, je leur téléphonerai, et souvent. Ils auront tout ce que je peux leur offrir.

Je fus soudain saisi de panique. L'argent que j'avais amassé pendant toutes ces années était souillé de sang. Mais c'était tout ce que je possédais. Je priai le Ciel que Malchiah n'y trouve rien à redire.

– Vous vous appartenez, désormais, dit-il.

– Que veux-tu dire ? Un jour, je pourrai vivre sous le même toit que Liona et Toby ?

Il hésita un moment, puis :

– Songe à ce qui s'est déjà passé. Par l'amour que vous partagez, tu es déjà transformé. Regarde-toi. Et, durant cette brève visite, tu as modifié le cours de la vie de Liona et de Toby pour toujours. Tu ne passeras pas un jour de ton existence sans savoir que tu les as, qu'ils ont besoin de toi et que tu ne peux les décevoir. Et ils ne connaîtront jamais un instant sans éprouver ton amour. Vivre sous le même toit, ce serait un simple détail.

– C'est une manière bien inhumaine de considérer les choses, ne pus-je m'empêcher de protester. Tu ne sais pas ce que c'est, pour des êtres humains, de vivre sous le même toit.

– Si, je le sais.

Je ne répondis pas.

– Tu sais comment aimer, reprit-il. C'est la clé. Tu peux aimer les gens que tu rencontres dans l'Heure de l'Ange. Tu peux aussi aimer des gens durant l'heure qui est tienne. Ton cœur bat d'un amour nouveau et réel que deux jours plus tôt tu n'imaginais même pas.

J'étais trop bouleversé pour répondre. Je me les représentai de nouveau, Liona et le petit Toby, tels que je les avais vus au premier instant.

– J'ignorais que je pouvais aimer ainsi, murmurai-je.

– Je savais que tu l'ignorais.

– Et je ne les décevrai jamais. Mais sois miséricordieux, Malchiah. Dis-moi si un jour je vivrai avec eux. Dis-moi que c'est possible. Dis-moi qu'un jour je pourrai le mériter. Fais-moi ce plaisir.

Il resta un moment silencieux. Son regard passa sur moi comme s'il me scrutait. Puis il me regarda en face.

– Peut-être. Peut-être y aura-t-il assez de temps pour cela. Un jour. Mais tu ne peux pas y penser maintenant. Parce que, pour l'instant, c'est très improbable.

Il marqua une pause comme s'il allait ajouter quelque chose, mais il se ravisa.

– Se peut-il que tu te trompes ? lui demandai-je. Ce n'est pas que je le souhaite, mais je veux seulement savoir. Peux-tu te tromper ?

– Oui. Seul le Créateur connaît tout.

– Mais tu ne peux pas pécher.

– Non, dit-il simplement. Il y a longtemps que j'ai choisi le parti du Créateur.

– Tu ne peux donc rien me promettre ?

– Pas maintenant, peut-être jamais. Je ne suis pas ici pour te raconter l'histoire du Créateur et de Ses anges, beau jeune homme. Je suis ici pour te connaître et te guider, et pour que tu m'accordes ton service dévoué. À présent, laisse les questions cosmiques au Ciel et occupons-nous du travail que tu dois accomplir.

– Oh, donne-moi assez de temps pour racheter les actes que j'ai commis, assez de temps...

– Rappelle-toi ces paroles là où je vais t'envoyer, car ce sera une longue suite de tâches difficiles. Ce ne sera pas en Angleterre ni à notre époque, mais dans une autre où la situation des enfants juifs de Dieu est à la fois pire et meilleure.

– Alors ce sont des prières juives que je dois exaucer ?

– Oui. Cette fois, ce sont celles d'un jeune homme du nom de Vitale, qui prie avec foi et désespoir qu'on lui vienne en aide. Tu iras le rejoindre, et tu seras confronté à bien des mystères que toi seul pourras comprendre. Mais viens… Il est temps de nous mettre en route.

En un instant, nous avions quitté la véranda.

J'ignore ce que les gens virent, et même s'ils virent quoi que ce soit.

Je sus seulement que nous avions quitté le monde matériel de Mission Inn, celui de Liona et Toby, et que nous étions de nouveau très haut dans les nuages. Si j'avais une forme, je ne la vis ni ne la sentis. Je ne percevais qu'une brume blanche autour de moi et, çà et là, l'infime scintillement d'une étoile.

Je mourais d'envie d'entendre la musique céleste, mais ne soufflait que le vent, vif et frais, qui semblait emporter toutes les pensées de mon passé.

Soudain, au-dessous de moi, je vis s'étendre une immense cité qui semblait infinie, une cité de coupoles, de terrasses, de tours et de croix, sous les couches de nuages.

Je reconnus les collines et les pins élancés de l'Italie, et je compris alors que c'était là ma destination, sans toutefois savoir dans quelle ville.

– C'est Rome que tu vois au-dessous de toi, précisa Malchiah. Léon X est sur le trône de Saint-Pierre. Michel-Ange, épuisé par son labeur sur la voûte de la grande chapelle, travaille à une dizaine d'autres chantiers. Raphaël peint des appartements que des millions de personnes viendront admirer dans les siècles à venir. Mais rien de tout cela n'a d'importance pour toi, et je ne t'accorderai pas le moindre instant pour apercevoir le pape ou son entourage, car tu es envoyé, comme toujours, vers un cœur en particulier. Ce jeune homme, Vitale de Leone, se recueille avec ferveur et foi, et d'autres prient avec tant de passion pour lui qu'ils assaillent les portes du Ciel.

Nous descendions toujours plus vers les terrasses, les coupoles et les clochers, et finalement nous aperçûmes le dédale tortueux d'escaliers et de ruelles de Rome.

– Dans ce monde, tu es un juif, nommé Toby, et un joueur de luth, comme tu vas bientôt le découvrir. Ce talent te sera nécessaire pour parvenir au terme de cette aventure. Tu es connu comme un homme imperturbable et capable d'apporter la consolation aux malheureux grâce à ta musique, et tu seras le bienvenu partout où tu te présenteras. À présent, sois brave et aimant, et reste ouvert à tous ceux qui ont besoin de toi – surtout notre Vitale, si découragé et si éperdu, qui est un homme confiant par nature. Je compte sur ton habileté, une fois encore, sur ton sang-froid et ta ruse. Mais, tout autant, je m'en remets à ton cœur généreux et instruit.

5

Alors que j'arrivais sur une petite place devant un immense palais de pierre, la foule s'écarta comme si elle m'attendait.

Ce n'était pas la meute haineuse que j'avais affrontée en Angleterre lors de mon dernier voyage pour Malchiah, mais, manifestement, il se passait des choses ici, et je venais d'arriver au beau milieu.

Presque tous étaient des juifs, du moins me sembla-t-il, car beaucoup portaient sur leurs vêtements la rouelle, ce petit cercle d'étoffe jaune, et d'autres des franges sous leurs longues tuniques de velours. Ceux-là étaient des hommes d'influence, comme l'indiquaient leur allure autant que leurs costumes.

Quant à moi, j'étais vêtu d'une belle tunique de velours frappé, avec des manches à crevés et doublure d'argent, des chausses d'apparence coûteuse et de hautes bottes en cuir vert. Et j'avais en bandoulière, retenu par une fine lanière de cuir, un luth ! Je portais moi aussi la rouelle, et, quand je m'en rendis compte, je me sentis vulnérable comme jamais encore.

Mes cheveux étaient longs jusqu'aux épaules, blonds et bouclés, et je fus plus ébahi par cette tenue que par le comportement de la foule.

Tous s'écartaient et me faisaient signe d'avancer vers la porte d'une maison dont la cour était éclairée.

C'était ma destination. Cela ne faisait aucun doute. Mais avant que j'aie pu sonner une cloche ou appeler, l'un des anciens s'avança comme pour me barrer le chemin.

– Tu entres dans cette maison à tes risques et périls, dit-il. Elle est possédée par un *dybbuk*. Nous avons par trois fois convoqué les anciens pour exorciser ce démon, mais nous avons échoué. Cependant, le jeune obstiné qui occupe cette maison refuse d'en partir. Et maintenant le monde, qui naguère lui faisait confiance et le respectait, le considère avec crainte et mépris.

– Pourtant, dis-je, je suis venu le voir.

– Ce n'est bon pour aucun de nous, renchérit un autre. Et jouer du luth pour ce malade ne changera rien à ce qui se passe sous son toit.

– Qu'estimez-vous alors que je devrais faire ?

Un rire gêné parcourut le groupe.

– Tiens-toi éloigné de cette maison et de Vitale de Leone jusqu'à ce qu'il se décide à la quitter et que le propriétaire juge bon de la faire abattre.

La maison paraissait immense, avec ses quatre étages de fenêtres.

– Le mal s'est emparé de cette demeure, insista un homme. L'entends-tu ? Entends-tu les bruits à l'intérieur ?

Je les entendais, en vérité. Comme si l'on y jetait des meubles. Et il me sembla aussi entendre du verre se briser.

Je frappai à la porte. Puis, voyant une cordelette, je tirai dessus. Si une cloche sonna, ce fut dans les profondeurs de la demeure.

Les hommes qui m'entouraient s'écartèrent quand la porte s'ouvrit. Un jeune gentilhomme, d'à peu près mon âge, se campa sur le seuil. Ses cheveux noirs et bouclés tombaient sur ses épaules et ses yeux noirs étaient enfoncés dans leurs orbites. Il était élégamment vêtu d'une tunique bouffante et de chausses comme moi, et portait des babouches de cuir marocain.

– Ah, c'est bien, tu es venu, me dit-il.

Et, sans un mot pour les autres, il me fit entrer dans la cour.

– Vitale, abandonne cette maison avant d'être ruiné, lui dit l'un des anciens.

– Je refuse de fuir, répondit-il. Je ne me laisserai pas chasser. Et, par ailleurs, le signore Antonio possède cette demeure, c'est mon protecteur et j'agis comme il l'entend. Niccolò est son fils.

La porte fut refermée et barrée.

Un vieux serviteur tenait une chandelle dont il protégeait la flamme de sa main décharnée.

Mais la vive lumière provenait du haut du toit, et c'est seulement quand nous commençâmes à monter les larges marches de pierre que nous nous trouvâmes plongés dans l'ombre et eûmes besoin de la maigre flamme pour nous guider.

Comme bien des maisons italiennes, celle-ci n'offrait côté rue qu'une façade dépouillée et percée de fenêtres, mais l'intérieur méritait le nom de *palazzo*, et je restai stupéfait devant son immensité alors que nous traversions ses vastes salles. J'aperçus de splendides fresques sur les murs, des sols dallés de marbre précieux et de riches tapisseries.

Un fracas dans les profondeurs de la maison nous arrêta.

Le vieux serviteur murmura quelques prières en latin et se signa, ce qui me surprit, mais le jeune homme paraissait sans crainte.

– Je ne me laisserai pas chasser, répéta-t-il. Nous découvrirons ce que c'est. Et, quant à Niccolò, je trouverai le moyen de le soigner. Je ne suis pas maudit et je ne suis pas non plus un médecin empoisonneur.

– C'est de cela qu'on t'accuse ? D'empoisonner un patient ?

– C'est à cause du spectre. S'il n'était pas là, je ne serais victime d'aucun soupçon. Et, à cause du fantôme, je ne peux m'occuper de Niccolò comme je devrais le faire en cet instant. Merci de venir jouer du luth pour lui.

– Allons le trouver, et je jouerai comme tu me l'as demandé.

Il me fixa, indécis, puis sursauta en entendant un nouveau fracas provenant de la cave.

– Penses-tu qu'il y a un *dybbuk* ici ? demanda-t-il.

– Je ne sais pas.

– Viens dans mon étude, dit-il. Parlons un peu ensemble avant d'aller trouver Niccolò.

À présent, des bruits surgissaient de partout, des portes grinçaient et des pas lourds résonnaient plus bas.

Nous ouvrîmes les doubles portes de l'étude, et le serviteur alluma rapidement plusieurs autres chandelles, car les volets étaient clos. La pièce était remplie de livres et de papiers, et je vis des volumes reliés de cuir usé. Sur plusieurs petites tables étaient ouverts des codex manuscrits, sur d'autres étaient entassées des feuilles couvertes de griffonnages, et au milieu de la pièce se dressait la table de travail de mon hôte.

Il me fit signe de m'asseoir sur la chaise curule voisine, puis il se laissa tomber sur la sienne, posa les coudes sur la table et enfouit son visage dans ses mains.

– Je ne pensais pas que tu viendrais, dit-il. J'ignorais qui, à Rome, oserait jouer du luth pour mon patient, maintenant que je suis dans une telle disgrâce. Seul le père du jeune homme, mon bon ami le signore Antonio, croit que ce que je pourrai faire sera utile.

– Je ferai tout ce que bon te semblera. Je me demande toutefois si un luth peut calmer un esprit troublé.

– Quelle intéressante pensée, concéda-t-il. Mais en notre époque où règne la sainte Inquisition, crois-tu que l'un de nous oserait charmer un démon ? Nous serions brûlés comme sorciers.

– Considère que je suis la réponse à tes prières. Je jouerai pour ton malade et je ferai aussi tout mon possible pour t'aider contre cet esprit.

Il me regarda pensivement un long moment, puis :

– Je sais que je peux me fier à toi. Je le sens.

– Tant mieux. Permets-moi de t'aider.

– D'abord, écoute mon histoire. Elle est brève, mais laisse-moi te conter comment tout est arrivé.

– Oui, explique-moi tout.

– Le signore Antonio m'a amené ici de Padoue, avec son fils Niccolò, qui est devenu pour moi l'ami le plus proche au monde, bien que je sois juif et eux des gentils. J'ai appris la médecine à Montpellier, où j'ai fait la connaissance du père et du fils. J'ai immédiatement entrepris de transcrire des textes de médecine de l'hébreu au latin pour le signore Antonio, qui possède une bibliothèque cinq fois plus vaste que celle-ci. Niccolò et moi étions autant compagnons de boisson que d'étude, et nous sommes partis ensemble pour Padoue, puis pour Rome, où le signore Antonio m'a confié cette demeure afin de la préparer pour Niccolò. Cette maison est destinée à Niccolò et à sa future épouse, mais le fantôme est apparu la première nuit où j'ai dit mes prières ici.

Un grand bruit retentit alors au-dessus de nous, suivi de pas. Je remarquai que le serviteur était resté dans la pièce, accroupi près de la porte, sa chandelle à la main. Son crâne presque chauve était rose dans la lumière, et l'homme nous regardait d'un air apeuré.

– Pico, va trouver le signore Antonio et dis-lui que j'arrive tout de suite. (L'homme s'en fut, tremblant, et Vitale se tourna vers moi.) Je te proposerais volontiers à boire et à manger, mais il n'y a rien ici. Les serviteurs se sont enfuis. Tous, sauf Pico. Il donnerait sa vie pour moi. Peut-être pense-t-il que c'est ce qui va arriver.

– Le fantôme, lui rappelai-je. Tu as dit qu'il avait surgi la nuit où tu avais prié. Cela signifiait quelque chose pour toi.

Il me considéra gravement.

– Tu sais, j'ai l'impression de t'avoir toujours connu. Il me semble que je peux te confier mes secrets.

– Tu le peux, dis-je. Mais si nous devons aller voir rapidement Niccolò, il faut me les dire vite.

Il continua de m'observer, et ses yeux noirs recelaient un feu que je trouvais fascinant. Son visage était animé, comme s'il était incapable de déguiser ses émotions, même s'il le voulait, et il semblait qu'à tout moment il allait se répandre en exclamations, mais il poursuivit à voix basse :

– Le fantôme a toujours été là, je le crains. Il y était déjà et il y sera même après qu'on nous aura chassés. La maison est restée close pendant vingt ans. Le signore Antonio l'avait louée, il y a longtemps, à un savant juif. Mais il n'en a pas dit plus. À présent, il veut offrir la maison à Niccolò et à sa future épouse, et je dois y habiter pour être le secrétaire de son fils et son médecin si nécessaire, et peut-être le précepteur de ses enfants lorsqu'il en aura. C'est un si heureux projet !

– Niccolò n'était pas encore malade, alors.

– Oh non, loin de là. Niccolò allait très bien. Il était impatient d'épouser Letizia. Niccolò et Lodovico, son frère, faisaient toutes sortes de projets. Non, rien de mal ne lui était arrivé.

– Puis tu as prié cette première nuit et le fantôme a commencé à se manifester.

– Oui. Vois-tu, j'ai découvert à l'étage la pièce qui servait de synagogue. J'ai trouvé l'arche et, dedans, les anciens rouleaux de la Torah. Ils appartenaient à l'érudit qu'Antonio a logé ici il y a si longtemps. J'ai prié, et je crains d'avoir demandé des choses qui ne m'étaient pas permises.

– Dis-moi.

– J'ai demandé la gloire, dit-il d'une toute petite voix. J'ai demandé la richesse. La reconnaissance. J'ai demandé à devenir un grand médecin à Rome, un grand savant pour le signore Antonio, en traduisant pour lui des textes que personne n'avait encore dévoilés.

– Cela me paraît une prière bien humaine, répondis-je. Étant donné tes dons, elle me semble tout à fait compréhensible.

Il leva vers moi un regard si plein de gratitude que j'en eus le cœur brisé.

– Vois-tu, j'ai bien des talents, dit-il humblement. J'ai le don d'écrire et de lire qui peut me tenir occupé pendant toute la journée. Mais j'ai aussi celui de médecin, la capacité de toucher la main d'un homme et de savoir de quoi il souffre.

– Était-ce donc mal de prier pour que ces dons s'épanouissent ?

Il sourit et secoua la tête.

– Tu es peut-être venu jouer du luth, mon ami, mais pour l'heure tu m'apportes plus de réconfort que ne le pourrait ta musique. Le fait est que cette nuit-là le fantôme a commencé à se manifester, à piétiner et à jeter des objets. Juste après ma prière, il a ravagé cette pièce et, crois-moi, il a fait voler les encriers, puis s'est retiré dans la cave où il a tambouriné sur les tonneaux.

– Mon ami, ce fantôme n'a peut-être rien à voir avec ta prière. Mais poursuis. Qu'est-il arrivé à Niccolò ?

– Eh bien, à ce moment, Niccolò a fait une chute de cheval. Ce n'était pas grave et la blessure a rapidement guéri. Niccolò est plus robuste que moi. Mais, depuis, il dépérit. Il a le teint pâle. Il frissonne et son état empire chaque jour. Cela lui ronge l'esprit, cette maladie, cette inactivité, contraint qu'il est de garder le lit et de voir ses mains trembler.

– La blessure est saine ? En es-tu sûr ?

– Certain. Il n'a nulle fièvre. Et les rumeurs, les rumeurs qui se répandent, prétendant que moi, son médecin juif, je l'empoisonne ! Oh, le Ciel soit remercié que le signore Antonio me croie !

– C'est terrible, d'être accusé d'empoisonnement.

Je le savais, car j'avais étudié l'histoire.

– Oh, comprends-moi, j'ai un contrat du signore Antonio, dûment signé, qui m'autorise à soigner mon patient et stipule que je serai payé, qu'il vive ou qu'il meure, et qu'aucune accusation ne pourra être portée contre moi. C'est ainsi que l'on procède à Rome. Et j'ai un agrément du pape pour soigner les chrétiens. Je l'ai depuis des années. Je suis dispensé de porter la rouelle. Tout est en ordre. Ce n'est pas mon sort qui me préoccupe. C'est le fantôme. Et aussi ce qu'il adviendra de Niccolò. J'aime Niccolò ! S'il n'y avait pas de fantôme, je ne serais pas accusé. Et mes autres patients n'auraient pas fui. Mais je n'ai pas besoin d'eux. Rien n'aurait d'importance si seulement Niccolò allait bien, si seulement Niccolò se rétablissait. Mais je dois découvrir pourquoi ce fantôme m'accable et pourquoi je ne peux guérir Niccolò, qui gît dans son lit et s'affaiblit de jour en jour.

– Allons à son chevet. Nous parlerons du fantôme plus tard.

– Une dernière chose auparavant. J'ai prié avec orgueil cette première nuit. Je le sais.

– C'est notre lot à tous, mon ami. N'est-ce pas de l'orgueil que de demander quoi que ce soit à Dieu ? Et, pourtant, Il nous ordonne de demander. Tout comme Salomon Lui a demandé la sagesse.

Il sembla se calmer.

– Tout comme Salomon, murmura-t-il. Oui, c'est ainsi que j'ai fait. Je Lui ai dit que je voulais tous ces dons, de l'esprit, de l'âme et du cœur. Mais en avais-je le droit ?

– Viens, à présent. Allons trouver ton ami Niccolò.

Il se tut et tendit l'oreille. Nous réalisâmes que la maison était silencieuse depuis un moment.

– Penses-tu que le *dybbuk* écoutait ? demanda-t-il.

– Peut-être. S'il peut faire du bruit, il peut aussi entendre, n'est-ce pas probable ?

– Oh, que le Seigneur te bénisse, je suis si heureux que tu sois venu à moi. Allons…

Il prit ma main dans les siennes. C'était un homme passionné et emporté, et je me rendis compte qu'il était très différent de ceux que j'avais connus durant ma dernière aventure : ils étaient passionnés mais en eux ne coulait pas le sang bouillant de la Méditerranée.

– Tu sais que je ne connais pas ton nom ? dit-il.

– Je m'appelle Toby. Maintenant, allons auprès de ton patient. Pendant que je jouerai du luth, j'écouterai, je regarderai et je saurai si cet homme a été empoisonné.

– Oh, mais ce n'est pas possible.

– Je ne voulais pas dire par toi, Vitale, mais par quelqu'un d'autre.

– Mais je t'assure, Toby, il est aimé de tous, personne ne souffrirait de le perdre. Et là réside cet affreux mystère.

– Le fantôme s'est tu, dis-je. Allons voir ton ami Niccolò.

Nous trouvâmes la même foule dans la rue, mais cette fois les juifs avaient été rejoints par d'autres, dont l'allure patibulaire ne me plut guère.

Nous nous ouvrîmes un chemin parmi eux sans un mot. Lorsque nous pénétrâmes dans une ruelle, Vitale chuchota :

– La situation est bonne pour les juifs, en ce moment. Le pape a un médecin juif, qui est mon ami, et les savants juifs sont appréciés de tous. Je crois que chaque cardinal en a au moins un dans son entourage. Mais cela pourrait changer en un instant. Si Niccolò meurt – le Seigneur ait pitié de moi –, à cause de ce *dybbuk*, je serai accusé non seulement d'empoisonnement mais aussi de sorcellerie.

J'acquiesçai, tout en tentant de me frayer un chemin à travers la foule des passants, marchands et mendiants. Dans la ruelle flottaient les odeurs des boutiques et des tavernes. En quelques minutes, nous parvînmes à la demeure du signore Antonio et l'on nous ouvrit aussitôt les grandes grilles de fer.

6

Nous entrâmes dans une vaste cour remplie d'arbres en pots disposés autour d'une fontaine scintillante.

Le vieillard voûté et ridé qui nous avait ouvert secoua la tête avec accablement.

– Il est plus mal aujourd'hui, jeune maître, dit-il, et je crains pour lui. Son père ne quitte pas son chevet. Il t'attend.

– Quand Niccolò souffre, me chuchota Vitale, Antonio souffre aussi. Cet homme vit pour ses fils. Il adore ses livres, ses papiers, le travail qu'il me confie, mais sans ses fils rien n'a vraiment de sens pour lui.

Nous gravîmes un large et impressionnant escalier aux marches de pierre basses, puis nous empruntâmes une longue galerie. De spectaculaires tentures, des tapisseries de princesses en promenade et de vaillants jeunes gens à la chasse, ainsi que d'immenses fresques pastorales de couleurs vives recouvraient les murs. Le travail me parut aussi fin que s'il avait été effectué par

Michel-Ange ou Raphaël, et, qui sait, peut-être était-ce l'œuvre de leurs élèves ou apprentis ?

Nous franchîmes une succession d'antichambres, toutes dallées de marbre et garnies de tapis turcs et persans. De magnifiques scènes classiques de nymphes dansant dans des jardins paradisiaques ornaient les murs. De temps en temps, une longue table de bois poli occupait le centre d'une pièce, mais il n'y avait aucun autre mobilier.

Enfin, une double porte s'ouvrit sur une vaste chambre plongée dans l'obscurité. Là reposait Niccolò, pâle, l'œil brillant, sur un amas de coussins et sous un baldaquin rouge et or.

Ses cheveux blonds collaient à son front moite. En vérité, il paraissait si fiévreux et agité que je voulus demander qu'on lui baigne au plus vite le visage.

Je vis très clairement qu'il était empoisonné. Il avait l'œil vague et les mains tremblantes et nous regarda comme s'il ne nous voyait pas. J'eus un pincement au cœur en pensant que le poison avait déjà presque accompli son œuvre, et je fus pris de panique. Malchiah m'avait-il envoyé ici pour connaître l'amertume de l'échec ?

À son chevet était assis un vénérable gentilhomme en longue robe de velours bordeaux, avec des chausses noires et des pantoufles de cuir ornées de pierreries. Ses abondants cheveux blancs, formant une pointe sur son front, lui donnaient un air très distingué, et son visage s'éclaira à l'arrivée de Vitale, mais il ne prononça pas un mot.

De l'autre côté du lit se tenait un homme qui paraissait fort ému. Ses yeux étaient embués de larmes et ses mains tremblaient presque autant que celles du malade.

Je constatai une ressemblance entre lui, le vieillard et le jeune homme alité, mais il présentait aussi une différence marquée. Tandis que le vieillard exprimait son inquiétude par sa dévotion, ce jeune homme paraissait sur le point de s'effondrer.

Les cheveux noirs et bouclés coupés court, magnifiquement vêtu d'une tunique frangée d'or à crevés et doublure de soie, il portait une épée à la ceinture et était rasé de près.

Je vis tout cela presque immédiatement. Vitale baisa l'anneau du gentilhomme assis et murmura :

– Signore Antonio, je suis triste que vous deviez voir votre fils ainsi.

– Dis-moi, Vitale, demanda le vieillard, qu'a-t-il donc ? Comment une simple blessure suite à une chute de cheval peut-elle engendrer un tel état ?

– C'est ce que j'entends bien découvrir, signore Antonio. Je vous en fais le serment solennel.

– Tu m'as autrefois guéri alors que tous les médecins d'Italie me donnaient pour mort, répondit le signore Antonio. Je sais que tu pourras soigner mon fils.

L'autre jeune homme s'agita de plus belle.

– Père, bien qu'il me peine de le dire, nous ferions mieux d'écouter les autres médecins. Je suis en grande peur. L'homme qui gît ici n'est plus mon frère.

Les larmes lui montèrent aux yeux. Le jeune homme couché prit la parole.

– Oui, cette diète de caviar, je l'accepte, Lodovico, dit-il. Mais, père, j'ai toute confiance en Vitale pour me soigner comme vous l'avez eue vous-même, et si je ne dois pas guérir ce sera la volonté de Dieu.

Il plissa les paupières et me regarda. Je l'intriguais, mais il avait du mal à parler.

– Une diète de caviar ? demanda le père. Je ne comprends pas.

– Que mon frère prenne du caviar en raison de sa pureté, expliqua le jeune Lodovico. Trois fois par jour sans aucune autre nourriture. Je suis allé demander le conseil des médecins du pape. Je ne fais que ce qu'ils m'ont dit. Il observe cette diète depuis la chute.

– Pourquoi ne me l'a-t-on pas dit ? demanda Vitale. Du caviar et rien d'autre ? N'êtes-vous pas satisfait du régime que j'ai recommandé ?

Je vis une lueur de colère passer brièvement dans le regard de Lodovico. Il était trop fier pour se laisser insulter.

– Ton régime ne réussissait pas à mon frère, dit-il avec un demi-sourire fugace. Le Saint-Père lui-même nous a fait envoyer le caviar, expliqua-t-il au père. Son prédécesseur ne jurait que par cela. Et il a bien vécu, en pleine santé, car cela lui donnait de la vigueur.

– Je ne veux pas insulter Sa Sainteté, se hâta de dire Vitale, et il est aimable de sa part de nous faire envoyer ce caviar, bien sûr. Mais je n'ai jamais rien entendu d'aussi étrange.

Il me jeta discrètement un regard lourd de sens.

Niccolò tenta de se redresser, mais il y renonça.

– Cela ne m'ennuie pas, Vitale, parvint-il malgré tout à dire, comme dans un soupir. Cela a un certain goût, alors qu'il me semble que rien d'autre n'en a. Cela me brûle les yeux, cependant. Mais sans doute en serait-il de même avec tout autre aliment.

Cela me brûle les yeux.

Je ruminai ces paroles, mal à l'aise. Personne ne se doutait évidemment que je fabriquais des poisons, savais les masquer et les administrer. Et, s'il y avait un aliment pouvant dissimuler un poison, c'était bien le caviar noir et pur, car on pouvait y incorporer presque n'importe quoi.

– Vitale, demanda le malade, qui est cet homme qui t'accompagne ? Pourquoi es-tu là ? me demanda-t-il avec difficulté.

À cet instant, à mon grand soulagement, une servante arriva avec une bassine d'eau et lui appliqua un linge humide sur le visage, dont elle essuya la sueur. Le geste l'agaça et il voulut l'arrêter, mais le vieil homme lui enjoignit de poursuivre.

– J'ai amené cet homme afin qu'il joue du luth pour toi, expliqua Vitale. Tu sais combien la musique t'a toujours apaisé. Il jouera doucement, rien qui puisse te causer de l'agitation.

– Oh oui ! dit Niccolò en se redressant. Ce sera fort agréable.

– La rumeur des rues raconte que tu as engagé cet homme afin qu'il joue pour le démon dans ta maison, dit brusquement Lodovico, qui semblait de nouveau près de fondre en larmes. Est-ce ce que tu as fait ? Et si tu mens en ce moment, est-ce par ruse ?

Vitale, choqué, ne sut que répondre.

– Cesse, Lodovico ! intervint le père. Il n'y a nul démon dans cette maison. Et jamais je ne t'ai entendu t'adresser ainsi à Vitale. C'est l'homme qui m'a rendu la vie alors que tous les médecins de Padoue, qui y sont plus nombreux que partout ailleurs en Italie, avaient renoncé.

– Père, il y a un esprit malfaisant dans cette maison, insista Lodovico. Tous les juifs le savent. Ils ont un nom pour cela.

– Un *dybbuk*, dit Vitale avec lassitude, et sans crainte apparente pour un homme soupçonné d'avoir un fantôme chez lui.

– Cette maison est hantée par ce *dybbuk* depuis que tu lui as donné les clés, continua Lodovico. Et c'est seulement après que le *dybbuk* y a élu domicile puis commencé à briser les fenêtres au cœur de la nuit que les talents de médecin de Vitale ont fondu comme neige au soleil.

– Fondu ? répéta Vitale, abasourdi et blessé. On prétend que mes talents m'ont abandonné ? Lodovico, c'est un mensonge !

– Mais les malades juifs ne viennent plus te voir, n'est-ce pas ? demanda Lodovico. (Puis, changeant soudain de ton :) Vitale, mon ami, pour l'amour de mon frère, dis-nous la vérité. (Vitale resta bouche bée. Mais Niccolò le regarda avec confiance et affection.) Les juifs nous l'ont dit eux-mêmes, poursuivit Lodovico. Par trois fois, ils ont tenté de chasser ce *dybbuk* de ta maison. Le démon est dans ton étude, dans la pièce où tu conserves tes remèdes, il est dans tous les recoins de la maison et peut-être même dans ceux de ton esprit ! finit-il par s'emporter.

– Tu ne dois pas dire de telles choses, intervint Niccolò en haussant la voix et en tentant vainement de se redresser. Ce n'est pas sa faute si je suis mal portant. Penses-tu que chaque fois qu'un homme attrape une fièvre et en meurt, c'est parce qu'il y a un démon dans une maison voisine ? Cesse donc.

– Calme-toi, mon fils, calme-toi, dit le vieil homme en le repoussant doucement sur ses oreillers. Et n'oubliez pas, mes fils, que la maison en question m'appartient. En conséquence, ce démon, ou *dybbuk* comme l'appellent les juifs, doit certainement être à moi. Je dois aller là-bas et affronter ce redoutable esprit qui bat en brèche exorcistes juifs comme romains. Je dois le voir de mes propres yeux.

– Père, je vous en supplie, ne faites pas cela ! cria Lodovico. Vitale ne vous dit pas de quelle violence ce démon est capable. Tous les médecins juifs venus ici nous l'ont raconté. Il jette et brise toutes sortes d'objets et piétine le sol.

– Quelle absurdité ! Je crois à la maladie et aux remèdes. Mais aux esprits qui jetteraient des objets !

Cela, je dois le voir de mes propres yeux. Que Vitale reste ici auprès de Niccolò.

– Oui, père, répondit celui-ci. Lodovico, tu as toujours aimé Vitale tout comme moi. Nous sommes tous les trois amis depuis Montpellier.

Lodovico s'agenouilla près du lit et pleura, le front appuyé sur son bras.

– Niccolò, je ferais tout pour que tu guérisses, dit-il. J'aime Vitale. Je l'ai toujours aimé. Mais les autres médecins disent qu'il a été ensorcelé.

– Cesse, Lodovico ! intervint de nouveau le père. Tu alarmes ton frère. Vitale, regarde mon fils. Examine-le de nouveau. C'est pour cela que tu es venu.

Vitale avait observé attentivement cette scène, tout comme moi. Aucune odeur dans la pièce ne trahissait la présence de poison, mais cela ne voulait rien dire. Je connaissais bon nombre de substances qui pouvaient être mêlées à du caviar et passer inaperçues. Pourtant, il était évident que le patient était considérablement affaibli.

– Vitale, assieds-toi auprès de moi, chuchota Niccolò. Reste avec moi aujourd'hui. Les pires pensées me sont venues. Je me vois mort et enterré.

– Ne dis pas cela, mon fils, protesta le père.

Rien ne pouvait plus réconforter Lodovico.

– Mon frère, je ne sais ce que serait la vie sans toi, bredouilla-t-il entre deux sanglots. Ne m'oblige pas à affronter cela. Mon premier souvenir, c'est t'avoir vu debout devant mon berceau. Pour moi ainsi que pour notre père, tu dois te remettre.

– Laissez-nous tous, je vous prie, dit Vitale. Signore, vous pouvez me faire confiance, comme depuis toujours. Je veux examiner mon patient, et toi, Toby, prends place là-bas. (Il désigna le coin opposé.) Joue doucement pour calmer les nerfs de Niccolò.

– Oui, voilà qui est bien, dit le père en se levant et en faisant signe à son jeune fils de le suivre.

– Vois, il a à peine touché au caviar que nous lui avons apporté, protesta Lodovico.

Il désigna une petite assiette d'argent posée sur la table de chevet. Le caviar était dans une coupelle de verre sur laquelle reposait une délicate cuiller en argent. Lodovico en prit un peu et la porta aux lèvres de son frère.

– Non, je n'en veux plus. Je t'ai dit que cela me brûlait les yeux.

– Oh, allons, tu en as besoin.

– Non, je ne peux rien supporter pour le moment, dit Niccolò.

Pourtant, pour faire taire son frère, il prit la cuiller et avala le caviar. Immédiatement, ses yeux rougirent et s'embuèrent de larmes.

Vitale demanda de nouveau que tout le monde sorte. Il me signifia d'aller m'asseoir dans un immense fauteuil noir sculpté de motifs fantastiques.

– Je veux rester, dit Lodovico. Tu devrais me demander de demeurer, Vitale. Si tu es accusé...

– Sottises, le coupa son père en l'entraînant.

Je m'installai confortablement dans le grand fauteuil, véritable monstre aux exubérantes griffes noires et aux coussins rouges. Je commençai à accorder le luth aussi discrètement que possible. L'instrument était magnifique. Mais d'autres pensées m'occupaient l'esprit.

Le jeune homme n'avait été empoisonné qu'après l'apparition du *dybbuk*. L'empoisonneur se trouvait donc certainement ici, dans cette maison, et j'étais assez convaincu qu'il s'agissait du frère, qui profitait de l'apparition du fantôme. Je doutais que l'empoisonneur eût été assez habile pour en faire apparaître un. En fait, j'étais sûr qu'il ne l'avait pas invoqué, mais il s'était montré assez astucieux pour entreprendre ses méfaits à ce moment.

Je commençai à jouer en sourdine une ancienne mélodie que je connaissais, une petite danse composée de variations sur quelques accords.

L'idée me frappa, inévitable, que je jouais d'un splendide luth à la période même où l'instrument s'était répandu. Je me trouvais à l'époque à laquelle avaient été composées les plus grandes œuvres. Mais je n'avais pas de temps à perdre avec cela, comme je ne pouvais aller admirer de mes propres yeux le chantier de la basilique Saint-Pierre.

Je songeai à l'empoisonneur et à la chance que nous avions, car il avait décidé d'agir lentement.

J'étais en train de jouer doucement quand Vitale, d'un geste, requit le silence. Il tenait la main de son patient et prenait son pouls, puis il se pencha et posa l'oreille sur la poitrine de Niccolò.

Il plaça les mains sur sa tête et lui examina les yeux. Le jeune homme frissonna, incapable de se maîtriser.

– Vitale…, chuchota-t-il, pensant peut-être que je ne l'entendais pas. Je ne veux pas mourir.

– Je ne te laisserai pas mourir, mon ami, répondit Vitale.

Il tira les draps et examina les chevilles et les pieds du patient. Certes, une de ses chevilles portait une tache livide, mais il n'y avait pas lieu de s'inquiéter. Niccolò pouvait bouger ses membres, mais ils tremblaient. Cela pouvait indiquer toutes sortes de poisons attaquant le système nerveux. Mais lequel, et comment prouverais-je qui le lui avait administré, et de quelle manière ?

J'entendis un bruit dans le couloir. Des pleurs. Je reconnus immédiatement Lodovico. Je me levai.

– Je vais aller parler à ton frère, si tu me le permets, dis-je doucement à Niccolò.

– Console-le, répondit-il. Dis-lui qu'il n'est pas responsable de tout cela. Le caviar me fait du bien. Il fonde tant d'espoir dessus. Qu'il n'ait pas l'impression que c'est sa faute.

Je le trouvai dans l'antichambre, l'air éperdu.

– Puis-je te parler ? demandai-je aimablement, pendant que Niccolò se repose et qu'on l'examine. Puis-je te réconforter ?

J'éprouvais un puissant besoin d'agir ainsi. Je n'avais jamais vu un être aussi seul et désemparé. En pleurs, fixant la porte de la chambre de son frère, il incarnait l'image même de la solitude.

– Niccolò est la raison pour laquelle mon père m'a accepté, murmura-t-il à mi-voix. Pourquoi te dis-je cela ? Parce que je dois le dire à quelqu'un. Je dois confier à quelqu'un combien je suis troublé.

– Viens. Y a-t-il un endroit où nous puissions converser ? C'est si difficile quand ceux que nous aimons souffrent.

Je le suivis dans le large escalier jusque dans la vaste cour, puis nous en gagnâmes une seconde, très différente de la première car elle était ornée de plantes tropicales.

Je sentis les poils de ma nuque se hérisser.

La lumière pénétrait abondamment en ce lieu malgré les quatre étages du *palazzo*. L'endroit étant naturellement abrité, il y faisait extrêmement chaud. Je vis des orangers et des citronniers, des fleurs violettes et des boutons d'un blanc cireux. Je connaissais certaines de ces plantes, d'autres non. Mais, si je jugeais qu'aucune n'était vénéneuse, c'est que ma mère avait donné le jour à un naïf.

Au centre de la cour se dressait une table sur tréteaux, avec deux chaises. Une carafe de vin et deux gobelets y étaient posés.

L'homme effondré, comme dans un songe, prit la carafe, remplit un gobelet et le vida d'un trait. Alors seulement il pensa à m'en proposer un, que je refusai poliment.

Il semblait épuisé d'avoir tant pleuré. À n'en pas douter, il était malheureux. En vérité, il était accablé de chagrin, car dans son esprit comme dans son cœur son frère était déjà mort.

– Assieds-toi, je te prie, me dit-il en prenant place sur une chaise et en faisant tomber des papiers de la table.

Derrière lui, dans un grand pot, se dressait un arbre élancé aux feuilles luisantes qui ne m'était pas inconnu. Je frissonnai d'effroi. Je connaissais ces fleurs violettes. Ainsi que les minuscules graines qu'elles produisaient et qui parsemaient la terre humide. Je ramassai les feuillets et les reposai sur la table. Je posai mon luth contre la chaise. Le jeune homme me regarda faire, hébété, puis il recommença à verser des larmes sincères.

– Je ne suis guère doué pour la poésie, et pourtant je suis un poète, faute d'être autre chose, commença-t-il. J'ai voyagé de par le monde, et j'en ai goûté les joies – non, peut-être que ma joie venait de ce que j'écrivais à Niccolò ou de nos retrouvailles. Et maintenant, ce vaste monde que j'ai parcouru, je dois l'imaginer sans lui. Et, quand j'y pense, il n'y a plus de monde.

Je fixai le pot derrière lui. La terre était couverte de petites graines noires. Une seule aurait été mortelle pour un enfant. Plusieurs, bien écrasées, pouvaient tuer un homme. Une petite quantité administrée régulièrement dans du caviar aurait parfaitement pu affaiblir lentement la victime et la pousser vers la mort.

Ces graines avaient une saveur épouvantable, comme c'est souvent le cas des poisons. Mais, si un goût pouvait la masquer, c'était bien celui du caviar.

– Je ne sais pas pourquoi je te confie tout cela, reprit Lodovico, seulement tu me parais bon, tu sembles capable de scruter le fond de l'âme. (Il soupira.) Tu comprends qu'un homme puisse avoir pour son frère un amour indicible. Et puisse penser qu'il est un lâche quand il doit affronter la faiblesse et la mort de son frère.

– Je voudrais comprendre, répondis-je. Combien de fils a ton père ?

– Nous sommes ses deux seuls fils, et combien il me méprisera si Niccolò trépasse ! Oh, il m'aime, à présent… mais il me détestera si je suis le seul à survivre. C'est seulement grâce à Niccolò qu'il m'a fait venir de la maison de ma mère. Nous ne sommes pas obligés de parler d'elle. Je n'en parle jamais. Niccolò m'aimait, il m'a aimé dès le premier instant quand nous jouions, enfants. Un jour, on est venu me chercher dans le bordel où j'habitais, et l'on m'a amené ici, dans cette maison. Ma mère a reçu une poignée d'or et de pierres précieuses en échange. Elle pleurait. Je peux au moins dire cela d'elle : elle pleurait. « C'est pour toi, me dit-elle. Toi, mon petit prince, tu es à présent emmené dans le château de tes rêves. »

– Elle était sincère, à n'en pas douter. Et ton père semble t'aimer, tout autant que ton frère.

– Oh oui, mais il y a eu un temps où il m'aimait davantage. Niccolò et Vitale, quels fripons ils peuvent être quand ils sont ensemble ! Je te le dis, il n'y a guère de différence entre un juif et un gentil quand il s'agit de boire et de trousser.

– C'est toi le bon fils, n'est-ce pas ?

– J'ai tenté de l'être. J'ai suivi mon père dans ses voyages. Il ne pouvait arracher Niccolò de l'université. Oh, je pourrais te parler des ports portugais et des sauvages d'Amérique, des sauvages comme tu ne peux en imaginer que dans tes rêves.

– Mais tu es revenu à Padoue.

– Oui, il voulait que je fasse des études. Et il m'a fallu aller à l'université comme mon frère, mais je n'ai jamais pu égaler ni Vitale, ni Niccolò, ni aucun autre. Ils m'ont aidé pourtant. Ils m'ont toujours pris sous leur aile.

– Alors tu as eu ton père tout à toi pendant ces années.

– Oui. (Il ne pleurait plus, à présent.) Oui, mais tu aurais dû voir, à notre retour, comme il fut prompt à embrasser mon frère bien-aimé. C'était à croire qu'il m'avait abandonné dans les jungles du Brésil.

– Cette plante, là, cet arbre, dis-je. Elle vient des jungles du Brésil.

Il me regarda fixement, puis il se retourna et sembla contempler la plante comme s'il la voyait pour la première fois.

– Peut-être, oui. Je ne me souviens pas. Nous avons rapporté des plants et des pousses à profusion. Les fleurs, vois-tu, mon père les aime passionnément. Il adore les arbres fruitiers. Il appelle cela son orangerie. Je ne viens ici que de temps en temps, pour écrire mes poèmes. Comment peux-tu reconnaître une telle plante ? demanda-t-il.

– Je l'ai vue en d'autres lieux, hasardai-je. Au Brésil. (Son expression avait changé et il parut se radoucir de manière calculée.) Je comprends ton inquiétude pour ton frère, continuai-je. Mais peut-être se remettra-t-il. Il reste en lui beaucoup de force.

– Oui, et peut-être que les projets de mon père pour lui pourront se réaliser. Seulement, un démon leur barre le chemin.

– Tu ne penses tout de même pas que ton frère...

– Oh non, dit-il froidement.

Il parut de nouveau préoccupé, puis il haussa les sourcils et sourit.

– Le démon barre le chemin de mon père d'une manière que tu n'imagines pas. Laisse-moi te parler un peu de mon père.

– Fais donc.

– Il est fort bon et, durant toutes ces années, il m'a gardé à ses côtés comme son petit singe dressé, de navire en navire, j'étais son bien-aimé petit jouet.

– C'était une époque heureuse ?

– Très !

– Mais les garçons deviennent des hommes…

– Oui, précisément, et les hommes ont des désirs… Ils peuvent éprouver un amour si aigu que c'est comme si un poignard leur avait transpercé le cœur.

– Tu as connu un tel amour ?

– Oui, et pour une femme parfaite, une femme qui n'avait aucune raison de me mépriser, née qu'elle était des amours secrètes d'un riche prêtre. Il est inutile de te dire son nom. Sache seulement qu'à peine j'eus posé les yeux sur elle que le monde n'existait plus en dehors de sa personne, qu'il n'y avait nul lieu où j'aurais voulu être sans elle à mes côtés. (Il me regarda fixement, puis il reprit son expression distraite.) Était-ce un rêve si fantasque ?

– Tu l'aimes et tu la désires, soufflai-je.

– Oui, et je suis riche, grâce à la générosité et à l'affection croissantes de mon père, abondantes en privé comme en présence d'autrui.

– C'est ce qu'il semble.

– Cependant, quand je lui soumis son nom, qu'imagines-tu qu'il se soit soudain passé ? Oh, pourquoi n'y avais-je pas songé ? Fille de prêtre, oui, mais d'un cardinal haut placé, ayant tant de riches filles… Comment ai-je pu être assez sot pour ne pas voir qu'il la considérerait comme le joyau de la couronne pour son fils aîné ? (Il se tut et me regarda attentivement.) Je ne sais pas qui tu es, dit-il pensivement. Pourquoi te raconté-je la plus affreuse défaite de ma vie ?

– Parce que je comprends. Ton père t'a dit que cette femme était pour Niccolò, et non pour toi.

Son visage se tordit dans une grimace dure et presque cruelle. Ses traits, qui jusque-là n'exprimaient que chagrin et inquiétude, s'étaient figés en un masque glacial qui aurait effrayé quiconque. Son regard se perdit dans le lointain.

– Oui, c'est à Niccolò que ma bien-aimée Letizia était promise. Pourquoi n'avais-je pas compris que les négociations avaient déjà commencé ? Pourquoi n'étais-je pas allé lui parler avant d'engager mon âme ? Oh, mon père a été bon pour moi, ajouta-t-il avec un sourire féroce. Il m'a pris dans ses bras et bercé. J'étais toujours son cher petit. « Mon petit Lodovico. Il y a tant de belles femmes en ce monde. » Voilà ce qu'il m'a dit.

– Cela t'a blessé, commentai-je doucement.

– Blessé ? C'était comme si l'on m'arrachait le cœur pour le jeter aux vautours. Voilà ce que cela m'a fait. Et de toutes les maisons et villas de Rome qu'il possède, laquelle crois-tu qu'il entend offrir au marié et à sa bienheureuse épousée une fois les noces célébrées ? (Il ne put retenir un rire glaçant, comme si c'était vraiment drôle.) La maison même qu'il a confiée à Vitale afin qu'il la leur prépare et la meuble, celle qui est maintenant le domicile d'un bruyant et malfaisant *dybbuk* juif !

Il était si différent que j'avais peine à reconnaître l'homme qui pleurait dans le couloir. Mais il reprit son air hébété, malgré la crispation de son visage. Il contempla derrière moi les arbres et les fleurs de la cour. Il leva même les yeux comme s'il s'émerveillait des rayons du soleil.

– À n'en pas douter, ton père a compris quelle blessure il t'infligeait.

– Oh oui ! Une autre femme aussi riche que bien née attend dans les coulisses pour faire son entrée en scène. Ce sera une épouse parfaite pour moi, bien que je n'aie pas échangé trois mots avec elle. Et ma bien-aimée Letizia deviendra ma bien-aimée sœur quand mon frère quittera son lit.

– Il n'est pas étonnant que tu pleures.

– Pourquoi dis-tu cela ?

– Parce que ton âme est déchirée. Comment regretter la maladie de ton frère alors que ces pensées...

– Jamais je ne souhaiterais sa mort ! affirma-t-il en frappant la table avec une telle violence que je crus qu'elle allait se briser. Personne ne s'est donné autant de mal que moi pour le sauver. J'ai amené les médecins les uns après les autres à son chevet. J'ai fait apporter le caviar qui est le seul aliment qu'il daigne manger.

Soudain, les larmes réapparurent, et avec elles un chagrin sincère et déchirant.

– J'aime mon frère, chuchota-t-il. Je l'aime plus que tout ce que j'ai jamais aimé au monde, même cette femme. Mais laisse-moi continuer… Un jour, mon père m'a emmené dans cette maison vide, alors que Vitale et Niccolò étaient encore à Padoue, occupés à s'enivrer, sans doute, et mon père m'a fait visiter chaque pièce en me vantant combien cette demeure serait magnifique, oui, jusqu'à la chambre !

– Il ne savait pas, alors.

– Non. Le nom de la femme qu'il avait si soigneusement choisie restait secret. Et j'ai été le premier à la nommer, dans les poèmes que j'écrivais pour elle et que j'ai été assez sot, assez imprudent, m'entends-tu, pour lui révéler !

– Cruel tour du destin.

– Oui. Et une telle cruauté rend les hommes cruels.

Il se laissa retomber sur son siège et fixa le vide comme s'il ne comprenait pas le sens de son histoire ou que je n'avais pas été capable de le saisir.

– Pardonne-moi de t'avoir causé une telle peine, dis-je.

– Tu n'as pas besoin d'être pardonné. La peine était en moi et devait sortir. Je redoute sa mort. Elle me terrifie. Le monde sans lui me terrifie. Mon père sans lui me terrifie. Letizia sans lui me terrifie, car jamais, jamais sa main ne me sera accordée.

Je ne comprenais pas très bien ce qu'il voulait dire, mais il était sincère.

– Je dois aller retrouver Vitale, dis-je. Il m'a amené ici afin que je joue pour ton frère.

– Oui, bien sûr. Mais apprends-moi une chose avant. Cet arbre… (Il se tourna et désigna les longues branches vertes et les fleurs violettes.) Sais-tu comment on l'appelle dans les jungles du Brésil ?

Je réfléchis un moment.

– Non. Je me souviens seulement de l'avoir vu là-bas, et je me rappelle ses fleurs magnifiques et leur puissant parfum. Je crois qu'on fabrique une teinture avec. (Quelque chose changea sur son visage. Lodovico me parut calculateur et un peu froid. J'aurais juré que sa bouche s'était crispée. Je continuai de parler comme si je n'avais rien remarqué, mais je commençais à détester cet homme.) Ces fleurs me font penser à des améthystes, et il y en a de fort belles au Brésil. (Il resta silencieux, plissant les paupières. Je sentis monter en moi une méfiance intolérable. Pourtant je n'avais pas été envoyé ici pour juger ou haïr, mais simplement pour empêcher qu'un homme soit empoisonné. Je me levai.) Je dois aller retrouver Vitale.

– Tu as été bon avec moi, répondit-il avec un sourire hideux. Dommage que tu sois un juif.

Un frisson me glaça, mais je soutins son regard. De nouveau, je sentis combien j'étais vulnérable lorsque je portais la rouelle.

– Vraiment ? répondis-je.

Je m'inclinai légèrement, pour lui signifier que j'étais son humble serviteur. Il sourit si froidement que ce fut presque une grimace.

– As-tu jamais aimé une femme que tu ne pouvais avoir ? demanda-t-il.

Je réfléchis quelques secondes, ne sachant que dire ni pourquoi le dire. Je songeai à Liona. Cela me déplut de penser à elle en cet instant, en présence de cet étrange jeune homme.

– Je prie pour que ton frère se rétablisse, dis-je. Je prie pour qu'il aille mieux aujourd'hui. Après tout, c'est possible. Si malade soit-il, il peut très bien reprendre des forces. (À présent, il me regardait avec haine. Et je craignis de le regarder de la même manière. Il savait. Il savait que je l'avais percé à jour.) Il se peut qu'il se remette, insistai-je. Après tout, avec l'aide de Dieu, tout est possible.

Il me dévisagea. Son faciès n'était que menace.

– Je n'en ai pas l'espoir, murmura-t-il d'une voix sourde. Et si j'étais toi, je m'en irais avant que vous autres juifs soyez accusés de sa mort. Oh, ne proteste pas. Bien sûr, je ne te soupçonne de rien, mais si tu as quelque sagesse, tu laisseras Vitale se débrouiller tout seul. Tu t'en iras.

J'avais connu des moments affreux et violents dans ma vie. Mais jamais je n'avais senti un tel danger émaner d'un homme. Qu'est-ce que Malchiah attendait de moi ? Que devais-je faire ? Je tentai de me rappeler quels conseils il m'avait donnés sur les difficultés que je pourrais rencontrer, sur la nature même de cette mission, mais je ne pus me souvenir de rien.

Le fait est que j'avais envie de tuer cet homme. Horrifié par les sentiments que j'éprouvais, je m'efforçai de les dissimuler. Mais j'avais envie de le tuer. Je voulais prendre une poignée de ces graines noires mortelles et le forcer à les avaler. La honte me cuisait de me comporter comme un véritable *dybbuk* au lieu d'être la réponse à une prière. J'inspirai profondément et répondis, le plus calmement que je pus :

– Il n'est pas trop tard pour ton frère. Il se peut qu'il commence à aller mieux dès aujourd'hui.

Une lueur innommable passa brièvement dans son regard.

– Tu es un sot si tu demeures ici, répéta-t-il.

Je baissai un moment les yeux en murmurant une prière muette, puis :

– Je prie pour que ton frère guérisse, dis-je doucement.

Et je m'en allai.

7

J'entraînai Vitale dans le couloir.

– Quelqu'un empoisonne ton ami avec une substance mortelle. Si tu donnes à manger de ce caviar à un chien, tu le verras mourir sous tes yeux.

– Mais qui ferait une chose pareille ?

– J'ai peine à te le dire : le propre frère de Niccolò. Mais tu ne peux le démasquer ouvertement. On ne te croira pas. Voici ce que tu dois faire : exige que le patient absorbe uniquement du lait en grande quantité. Prétends que seuls des aliments blancs lui rendront la santé. Rien d'autre que des aliments blancs, dans lesquels on ne pourra pas ajouter de substance noire.

– Tu penses que cela réussira ?

– Je le sais. Le poison provient d'un arbre que j'ai vu dans l'orangerie. Il est noir et sa couleur déteint extrêmement. C'est la graine d'une fleur violette.

– Oh, mais je connais ce poison ! dit-il. Il vient du Brésil. On l'appelle la mort pourpre. Je l'ai lu dans mes manuscrits hébreux. Je ne crois pas que cette plante soit connue des médecins latins. Je ne l'ai jamais vue ici.

– Eh bien, il en pousse une grande quantité sur l'arbre dans la cour. C'est une fleur si vénéneuse que je ne pourrais y toucher sans ces gants, et il me faudrait une bourse de cuir pour y mettre les graines.

Il sortit rapidement une bourse de sa poche, en vida l'or et me la tendit.

– Voici. Peux-tu en recueillir maintenant ? Et le coupable saura-t-il ce que tu as fait ?

– Si tu l'occupes, il n'en saura rien. Appelle le signore Antonio et Lodovico. Prétends que tu dois leur parler. Déclare que le caviar n'est pas bon pour le malade et qu'il doit boire du lait. Explique-leur que le lait tapissera les parois de son estomac et absorbera les substances nocives qui causent le mal de Niccolò. Dis que le lait de femme serait le plus approprié, mais que du lait de vache ou de chèvre conviendra, ainsi que du fromage, du fromage blanc de la meilleure qualité. Plus le patient en mangera, mieux il se portera. Et, pendant ce temps, je m'occuperai du poison.

– Mais d'où dois-je prétendre tenir ce savoir ?

– Dis que tu as prié et réfléchi, et que tu as songé à ce qui s'est passé depuis que le malade mange du caviar.

– Et c'est vrai, il n'y a là aucun mensonge.

– Insiste pour qu'on essaie le lait. Un père aimant n'y verra nul danger. Personne ne s'y opposera. Pendant ce temps, je retournerai dans l'orangerie et y recueillerai le plus de poison possible. Nous ne pouvons savoir quelle quantité l'empoisonneur a déjà amassée pour accomplir ses méfaits. Mais je pense qu'il n'en a pas beaucoup. La substance est trop mortelle. Il n'a dû en prendre que d'infimes doses au fur et à mesure de ses besoins.

Vitale s'assombrit et secoua la tête.

– Tu soupçonnes vraiment Lodovico…

– En effet. Mais ce qui importe, à présent, c'est que tu donnes du lait à ton patient.

Je redescendis rapidement dans la cour. Les grilles étaient closes. Je tentai de les forcer discrètement, mais ce fut impossible. Il aurait fallu briser la serrure, et je ne pouvais guère me le permettre.

L'un des nombreux serviteurs apparut. C'était un homme malingre et vêtu de guenilles. Il me demanda à mi-voix si j'avais besoin d'aide.

– Où est le signore Lodovico ? lui demandai-je, pour faire croire que c'était la raison de ma présence ici.

– Avec son père et les prêtres.

– Les prêtres ?

– Permets-moi de te mettre en garde, murmura l'homme édenté. Quitte cette maison tant que tu le peux.

Je le dévisageai, mais il se contenta de secouer la tête et de s'éloigner en marmonnant. Par-delà la grille, j'apercevais les fleurs violettes que je voulais cueillir. Je n'avais plus le temps de le faire. Et ce projet n'était peut-être pas le meilleur.

En retournant à la chambre de Niccolò, je vis arriver le signore Antonio et deux prêtres âgés en longue soutane noire, un crucifix d'argent sur la poitrine. Lodovico tenait le bras de son père. Il pleurait de nouveau, mais quand il me vit il me jeta un regard noir.

À l'intérieur, j'entendis Vitale ordonner que l'on emporte le caviar. Quelqu'un se querella avec lui, et j'entendis aussi la voix de Niccolò, mais je ne pus distinguer leurs mots.

– Jeune homme, me dit le signore Antonio, entre avec nous.

Deux autres hommes le suivaient et je vis que c'étaient des gardes armés. Ils portaient des dagues à la ceinture et l'un d'eux avait même une épée.

J'entrai le premier dans la chambre. Pico se querellait avec Vitale, et le caviar était toujours au même endroit.

Niccolò gisait, les yeux mi-clos, les lèvres desséchées. Il soupira douloureusement. Je priai pour qu'il ne soit pas trop tard. Les gardes se placèrent derrière le fauteuil où je m'étais installé pour jouer du luth, tandis que nous nous rassemblions autour du lit.

Le signore Antonio me considéra longuement, puis il regarda Vitale. Quant à Lodovico, en proie aux larmes, il paraissait toujours aussi convaincant.

– Réveille-toi, mon fils, dit le signore Antonio. Réveille-toi et entends la vérité de la bouche de ton frère. Je crains de ne pouvoir l'écarter plus longtemps, et c'est seulement en la disant que nous pouvons éviter le désastre.

– Qu'est-ce donc, père ? demanda le malade, qui semblait plus affaibli que jamais, bien qu'il n'ait apparemment plus mangé de caviar.

– Parle, ordonna le signore Antonio à Lodovico.

Le jeune homme hésita, essuya ses larmes avec un mouchoir de soie, puis :

– Je n'ai d'autre choix que de révéler que Vitale, notre ami si cher, notre confident et compagnon, t'a ensorcelé, mon frère !

Niccolò se redressa soudain.

– Comment oses-tu dire une chose pareille ? Tu sais que mon ami en est incapable. Il m'aurait ensorcelé, et dans quel but ?

Lodovico laissa couler quelques larmes et regarda son père d'un air suppliant.

– À mon insu, mon fils, expliqua Antonio. Cet homme voulait conserver la maison dans laquelle il vit, la maison où je l'ai laissé habiter pendant que tu étais malade, celle-là même que j'avais choisi de vous offrir, à toi et à ta fiancée. Il y a invoqué l'esprit malfaisant afin qu'il accomplisse son œuvre, et cet esprit t'a rendu gravement malade, dans l'espoir que tu meures et que la maison lui revienne. Vitale a prié son Dieu pour cela, et Lodovico a entendu ses prières.

– C'est un mensonge. Je n'ai jamais prié pour une telle chose, protesta Vitale. Je vis dans la maison selon votre bon vouloir et j'ai mis de l'ordre dans la vieille bibliothèque comme vous me l'aviez demandé. J'ai cherché les manuscrits hébreux qui y ont été laissés il y a des années par l'homme qui occupait cette maison. Mais je n'ai jamais invoqué un esprit malfaisant, et jamais je n'aurais eu de desseins aussi vils envers mon plus proche ami. Comment pouvez-vous m'accuser d'une chose pareille ? Vous pensez que, dans l'espoir d'obtenir un palais que je peux sans peine acheter, j'aurais sacrifié la vie de mon plus cher ami ? Signore, c'est comme si vous m'aviez poignardé.

Le signore Antonio l'avait écouté comme s'il n'avait pas encore arrêté sa décision.

– N'as-tu pas une synagogue dans cette maison ? demanda le plus grand et le plus âgé des prêtres, un homme aux cheveux gris et aux traits taillés à la serpe, mais au visage bienveillant. N'as-tu pas les rouleaux de ta Torah dans cette synagogue, enfermés dans une arche ?

– Ils y sont, en effet, dit Vitale. Ils y étaient quand je suis arrivé dans cette maison. Tout le monde sait qu'un juif l'habitait auparavant, il les y a laissés et ils se couvraient de poussière depuis vingt ans.

Le signore Antonio parut très affecté par ces paroles, mais il n'intervint pas.

– Tu n'as jamais usé de ces rouleaux pour tes prières malsaines ? demanda le second prêtre, plus timide, mais tremblant d'une excitation qu'il avait peine à dissimuler.

– Eh bien, en toute sincérité, je ne les ai pas utilisés dans mes prières, dit Vitale. Je dois avouer que je suis plus un humaniste, un poète et un médecin qu'un juif pieux. Je ne les ai pas utilisés. Je suis allé à la synagogue de mes amis pour la prière de shabbat, et vous connaissez ces hommes, vous les connaissez bien et vous les respectez tous.

– Ah ! dit le premier prêtre. Donc, tu n'as prononcé aucune prière sainte ou pieuse devant ces livres étranges. Et pourtant nous devons admettre que ce sont tes livres sacrés, et non pas des livres étrangers contenant des secrets et des enchantements.

– Nies-tu posséder de tels livres ? demanda le second prêtre.

– Pourquoi m'accusez-vous de cela ? s'étonna Vitale. Signore Antonio, je vous aime et j'aime Niccolò. J'aime sa future épouse comme ma sœur. Depuis Padoue, vous êtes aussi bon avec moi que ma propre famille.

Le signore Antonio était visiblement ébranlé, mais il se redressa comme si ces accusations exigeaient qu'il fasse montre d'une grande résolution.

– Vitale, dis-moi la vérité. As-tu ensorcelé mon fils ? As-tu prononcé devant lui quelque étrange incantation ? As-tu fait au Malin le vœu de lui offrir cette mort chrétienne pour quelque noir dessein ?

– Jamais, jamais je n'ai fait la moindre prière au Malin, assura Vitale.

– Alors pourquoi Niccoló est-il dans cet état ? Pourquoi s'affaiblit-il de jour en jour ? Pourquoi est-il si incommodé, pourquoi un démon se déchaîne dans ta maison en cet instant même, comme s'il attendait de voir comment prospèrent les charmes malfaisants dont tu t'acquittes pour lui ?

– Lodovico, es-tu cause de cette accusation ? demanda Vitale. As-tu instillé des doutes dans l'esprit de tous ceux qui sont ici ?

– Permettez-moi de parler, intervins-je. Je suis un étranger pour vous tous, mais je connais la cause du mal qui frappe Niccoló.

– Et qui es-tu, pour que nous devions t'écouter ? s'enquit le prêtre le plus âgé.

– Un voyageur qui étudie la nature, les plantes et les fleurs inconnues, ainsi que les poisons, afin de leur trouver quelque remède.

– Silence ! ordonna Lodovico. Tu oses te mêler ici d'une affaire de famille. Père, ordonnez à ce musicien de quitter cette chambre. Il n'est rien de plus qu'un complice de Vitale.

– C'est faux, signore Antonio, dit celui-ci. Cet homme m'a beaucoup appris.

Vitale se tourna vers moi, et je vis à son expression qu'il craignait que je ne lui aie menti et que sa destinée n'en dépende.

– Signore, dis-je au vieil homme, voyez le caviar.

– Il vient du palais du pape ! déclara Lodovico.

Il espérait me faire taire, mais je tins bon.

– Voyez ! dis-je. Il est noir, d'une saveur salée. Vous savez fort bien ce que c'est. Eh bien, je vous assure, seigneur, que si vous en mangiez quatre ou cinq cuillerées vous seriez bientôt aussi livide que votre fils. En vérité, un homme de votre âge pourrait peut-être même en mourir sur-le-champ. (Les prêtres regardèrent tous les deux la coupelle de verre et reculèrent instinctivement.) Seigneur…, continuai-je. Dans votre orangerie, en bas dans la cour, pousse une plante aux fleurs violettes connue sous le nom de mort pourpre. Une seule de ses graines suffit à rendre malade un homme. Leur administration régulière, une fois moulues et mêlées à un aliment à forte saveur comme celui-ci, entraîne assurément la mort.

– Je ne te crois pas, murmura le vieillard. Qui irait faire cela ?

– Tu mens ! s'écria Lodovico. Tu racontes des mensonges fantasques pour protéger ton complice et dissimuler Dieu sait quels péchés dont vous êtes coupables !

– En ce cas, mange de ce caviar, le défiai-je. Manges-en ne serait-ce qu'une cuillerée, comme celle que tu as donnée à ton frère. Mange-la tout entière et nous verrons si la vérité ne se fait pas jour. Et si cela ne suffit pas, je vous emmènerai tous avec moi en bas, je vous montrerai cette plante, et je vous en révélerai les pouvoirs. Trouvez un malheureux chien errant dans les rues de Rome, donnez-lui à manger des graines de cette plante, et vous le verrez trembler et se convulser avant de succomber.

Lodovico tira une dague de sa manche. Immédiatement, les prêtres lui ordonnèrent de se calmer, de ne pas commettre d'imprudence.

– Une dague pour manger du caviar ? dis-je. Prends la cuiller, tu verras que c'est plus commode.

– Ce sont des mensonges que profère cet homme ! s'écria Lodovico. Et qui, sous ce toit, irait empoisonner mon frère ? Qui oserait ? Ce caviar provient des cuisines du Saint-Père lui-même. C'est une vilenie, je vous l'assure.

Un silence s'abattit sur la chambre comme si une cloche avait retenti. Le signore Antonio fixa son fils illégitime qui tenait toujours sa dague en me regardant. Je ne bronchai pas, mon luth en bandoulière, lui prêtant à peine attention. Quant à Vitale, blême et ébranlé, il paraissait près de fondre en larmes.

– Pourquoi as-tu fomenté cela ? demanda le signore Antonio à mi-voix à Lodovico.

– Je n'ai rien fomenté. Et il n'y a pas de telle plante ici.

– Oh, mais si, dit Antonio. Et tu l'as toi-même apportée. Je m'en souviens. Je me rappelle ses fleurs violettes si reconnaissables.

– C'est un présent que nous ont fait nos chers parents au Brésil, assura Lodovico, l'air triste et blessé. Une magnifique plante pour notre jardin. Je n'ai nullement cherché à te la dissimuler. Je ne connais rien de ses pouvoirs. Qui les connaît ? Toi ! cria-t-il en me regardant. Et ton compagnon, le juif Vitale, ton complice dans ce méfait. Êtes-vous des adorateurs du Malin ? Le Malin vous a-t-il enseigné de quoi cette plante était capable ? Si ce caviar est souillé, c'est du poison que vous y avez versé tous les deux. (Il se remit à pleurer.) Comme c'est ignoble d'avoir fait subir cela à mon frère !

Le signore Antonio secoua la tête, sans quitter Lodovico du regard.

– Non, chuchota-t-il. C'est toi qui as apporté la plante et c'est toi qui as introduit le caviar dans cette maison.

– Père, ces hommes sont des sorciers. Ils incarnent le mal !

– Vraiment ? demanda Antonio. Et quel parent du Brésil nous a fait parvenir cet arbre étrange ? Je pense plutôt que tu l'as acheté dans cette ville, que tu l'as apporté ici et que tu l'as posé auprès de cette table où tu écris tes poèmes.

– Non, c'est un cadeau. Je ne me rappelle plus quand il est arrivé.

– Mais moi, si. C'était il y a peu, lorsque toi, Lodovico, mon fils, tu as eu l'idée que le caviar réconforterait ton frère affaibli.

Pendant tout ce temps, le malade assistait à la scène la mine ahurie. Son regard allait de l'un à l'autre ; il avait observé les prêtres quand ils avaient pris la parole, et il m'avait considéré, horrifié, quand j'étais intervenu. Il se pencha et prit la petite coupe de caviar d'une main tremblante.

– Non, n'y touche pas ! dis-je. Ne l'approche pas de tes yeux. Cela les brûlerait. Ne t'en souviens-tu pas ?

– Je m'en souviens, confirma le père.

L'un des prêtres tendit la main vers la coupelle, mais le malade l'avait posée sur les couvertures de brocart et fixait le caviar comme s'il était vivant, comme si c'était la flamme d'une chandelle. Il leva la petite cuiller.

Son père s'en empara soudain et renversa le caviar, qui souilla de noir la couverture.

Instinctivement, Lodovico s'écarta de la tache. Ensuite seulement il prit conscience de son geste. Il leva les yeux vers son père. Il tenait encore la dague.

– Vous croyez que je suis coupable de cela ? lui demanda-t-il. Il n'y a là nul poison, je vous le dis. Ce n'est qu'une tache que les lavandières tenteront en vain de nettoyer. Mais ce n'est pas du poison.

– Venez avec moi, dis-je. Descendons à l'orangerie. Je vous montrerai l'arbre. Nous trouverons quelque animal innocent. Je vous montrerai de quoi ce poison est capable. Je vous montrerai comme cette graine est noire, et combien le caviar est parfait pour la dissimuler.

Soudain, Lodovico se précipita sur moi en brandissant sa dague. D'un coup sec à son poignet je la lui arrachai, mais il se jeta à ma gorge. Je levai les bras et le repoussai d'un geste vif. Il recula, stupéfait de ma réaction. Elle n'aurait surpris personne de nos jours, où les arts martiaux sont enseignés même aux enfants. J'eus honte d'avoir pris tant de plaisir à cette brève lutte.

L'un des gardes ramassa la dague.

Lodovico resta ébranlé, puis, désespérément, il passa la main sur la tache et ramassa quelques grains de caviar qu'il mit sur sa langue.

– Voyez, dit-il. Je suis possédé. Je suis ensorcelé par des juifs malveillants qui complotent pour me nuire, et cela parce que je connais leurs ruses et ce qu'ils avaient l'intention de faire à Niccolò.

Il se lécha les lèvres. Il n'avait absorbé qu'un peu de caviar et pouvait sans peine en dissimuler les effets.

Un lourd silence s'installa. Niccolò frémit soudain.

– Mon frère, chuchota-t-il, Letizia est la cause de tout cela.

– Mensonge ! s'écria Lodovico d'une voix pâteuse. Comment oses-tu ?

– Oh, si seulement j'avais su..., répondit Niccolò. Qu'est-elle d'autre qu'une parmi tant de belles jeunes filles prêtes à m'épouser ? Si seulement j'avais su...

– Il s'agit de Letizia, alors ? demanda le signore Antonio à Lodovico avec un regard flamboyant.

– Je vous dis que ces juifs l'ont ensorcelé. Ce sont eux qui ont mis du poison dans le caviar. Je vous assure que je suis innocent ! (Lodovico pleurait, en proie à la colère. Il marmonna, chuchota, puis :) C'est Vitale qui a amené la plante dans notre maison. Je m'en souviens à présent. Sans quoi, comment son ami et lui connaîtraient-ils son pouvoir ? Je vous dis que c'est cet homme, ce Toby, qui est coupable.

Le vieil homme secoua la tête, consterné.

– Allez, dit-il en faisant signe à ses gardes de s'emparer de Lodovico. Emmène-moi à l'orangerie, ajouta-t-il à mon intention, et montre-moi cette plante.

8

Le visage du jeune Lodovico s'était mué en un masque de fureur aussi vivement qu'il avait plus tôt simulé le chagrin. Il repoussa les gardes et descendit avec nous, la tête haute, jusqu'à l'orangerie.

La plante y était toujours, et je montrai les nombreuses graines noires déjà tombées sur la terre, puis les fleurs à demi fanées qui contenaient le poison. Un serviteur fut envoyé chercher quelque chien errant et, peu après, les jappements de la pauvre bête retentirent dans l'escalier.

Vitale contempla les fleurs violettes avec effroi. Le signore Antonio se contenta de les regarder avec colère, tandis que les deux prêtres nous considéraient, Vitale et moi, d'un air accusateur.

Une vieille femme apporta un plat de terre rempli d'eau pour le pauvre animal affamé.

J'enfilai mes gants et, prenant la dague de Lodovico, je rassemblai quelques graines en un petit tas et cherchai de quoi les broyer. Comme je n'avais que le manche du poignard à portée de main, je m'en servis pour les réduire en poudre, dont je versai quelques pincées dans l'eau du chien.

L'animal but avidement et lécha même le fond du plat, puis se mit aussitôt à trembler. Il tomba sur le flanc et se convulsa de douleur. Un instant plus tard, il était inerte, le regard vide.

Tout le monde assista à ce spectacle avec répulsion et horreur, moi compris.

Mais Lodovico entra dans une grande colère.

– Je jure que je suis innocent de tout cela ! clama-t-il. Les juifs connaissaient le poison. Et, c'est le juif Vitale qui a apporté la plante ici...

– Tu te contredis, dit Antonio. Tu mens. Tu bégaies. Tu supplies comme un couard pour qu'on te croie !

– Je vous dis que je n'ai rien à voir avec tout cela ! s'écria le jeune homme, désespéré. Ces juifs m'ont ensorcelé tout comme ils ont ensorcelé mon frère. Si j'ai commis ce méfait, c'était dans mon sommeil. C'est dans mon sommeil que j'ai marché et accompli les actes auxquels ils m'ont forcé. Que savez-vous de ces juifs ? Que savez-vous de leurs livres sacrés ? Qui sait s'ils ne sont pas remplis de la sorcellerie qui m'a conduit à agir ainsi ? Le démon ne se déchaîne-t-il pas dans la maison maudite en cet instant même ?

– Signore Antonio, intervint le prêtre le plus âgé, il faut dire que les gens entendent ce démon hurler depuis la rue. Tout ceci est-il impossible à accomplir pour un démon ? Je ne le pense pas !

Lodovico se répandit en imprécations – oui, c'était le démon, le démon qui l'avait possédé de sa magie infernale. Ne voyait-on pas à quel point ce démon était mauvais ?

Le vénérable Antonio toisa son fils illégitime avec tristesse, comme s'il allait pleurer, mais ses yeux restèrent secs.

– Comment as-tu pu faire cela ? murmura-t-il.

Soudain, Lodovico échappa aux deux hommes qui l'encadraient. Il se précipita sur l'arbre et prit une poignée de graines dans la terre humide du pot.

– Arrêtez-le ! m'écriai-je.

Je me jetai sur lui, mais il avait déjà porté à sa bouche la poignée de terre et de graines. Il était trop tard. Les gardes et son père se précipitèrent à leur tour.

– Faites-le vomir ! s'écria Vitale. Laissez-moi m'occuper de lui, reculez !

Mais je savais que c'était inutile.

Je m'écartai, désemparé. Qu'avais-je laissé arriver ici ? C'était trop affreux. C'était exactement ce que j'aurais voulu lui faire subir, ce que je m'étais imaginé faire, prendre une poignée de graines et le forcer à les avaler. Il s'en était chargé tout seul, comme si mes intentions mauvaises s'étaient emparées de lui. Comment avais-je pu le laisser accomplir ce geste fatal ? Pourquoi n'avais-je pas trouvé le moyen de l'en empêcher ?

Lodovico regarda son père. Il suffoquait et frissonnait. Les gardes reculèrent et le signore Antonio fut seul à le soutenir tandis qu'il était agité de convulsions et s'effondrait sur le sol.

– Seigneur miséricordieux, murmura le signore Antonio en même temps que moi.

Seigneur miséricordieux, aie pitié de cette âme immortelle. Notre Père qui êtes aux cieux, pardonnez-lui sa folie.

– Sorcellerie ! dit l'homme agonisant, la bouche souillée d'écume et de poison noir.

Ce furent ses derniers mots. Il se recroquevilla, puis roula sur le côté, les jambes agitées de tressautements, et son visage adopta l'expression figée du pauvre animal qui était mort sous nos yeux.

Et moi, moi qui dans une autre vie, à des siècles de là, dans un pays lointain, avais utilisé ce même poison pour exécuter des victimes innombrables, je ne pus qu'assister impuissant à la scène. Oh, quelle erreur ! Moi qui avais été envoyé pour répondre à une prière, j'avais provoqué un suicide.

Le silence s'abattit sur la cour.

– C'était mon ami, murmura Vitale.

Le vieil homme se releva, et Vitale lui prit le bras.

Niccolò apparut à la grille. Sans un mot, il demeura là, dans sa longue chemise blanche, pieds nus, tremblant, le regard fixé sur le cadavre de son frère.

– Sortez, tous ! ordonna le signore Antonio. Laissez-moi avec mon fils. Partez !

Mais le vieux prêtre ne bougea pas. Aussi ébranlé que nous, il reprit néanmoins ses esprits et annonça, d'une voix sourde et méprisante :

– Ne pensez pas un instant que la sorcellerie n'est pas à l'œuvre ici, et que vos fils n'ont pas été contaminés par leur commerce avec ces juifs.

– Fra Piero, silence ! dit le vieillard. Ce n'était pas de la sorcellerie, mais de l'envie ! À présent, laissez-moi, tous. Laissez-moi seul pleurer mon fils que j'ai pris à sa mère. Vitale, emmène ton patient dans sa chambre. Il se remettra, à présent.

– Mais le démon ne continue-t-il pas à sévir ? demanda le prêtre, que personne n'écoutait.

Je contemplai le défunt Lodovico. J'étais incapable de parler. De penser. Je savais que tout le monde devait sortir, sauf le vieil homme, et qu'il me fallait les suivre. Mais je ne pouvais détacher mon regard de ce corps sans vie. Je pensai aux anges. À leur royaume invisible, entremêlé au nôtre, à ces êtres de sagesse et de compassion qui accompagnaient peut-être l'âme du disparu, mais aucune image, aucune parole réconfortante ne me vint à l'esprit. J'avais échoué. Je n'étais pas parvenu à sauver cet homme, même si j'en avais sauvé un autre. Était-ce tout ce que j'étais censé faire ? Sauver un frère et amener l'autre à se supprimer ? C'était inconcevable. Mais c'était bien moi qui l'avais conduit à la mort, sans le moindre doute.

Je levai la tête et vis le vieux Pico qui me faisait signe de me presser. Tous les autres s'étaient éloignés. Je m'inclinai puis quittai l'orangerie pour gagner la grande cour. J'étais abasourdi. Il me sembla que le frère Piero était là, mais je ne regardai pas vraiment ceux qui m'entouraient.

Je vis la porte ouverte sur la rue et les vagues silhouettes des serviteurs qui montaient la garde. Je me dirigeai vers l'huis et le franchis. Personne ne me posa de question. Personne ne sembla me remarquer.

Comme un homme ivre, je traversai la foule qui envahissait la *piazza*, et pendant un moment je contemplai le ciel gris qui s'assombrissait. Comme ce monde dans lequel j'avais été plongé était solide et réel, avec ses maisons de pierre, dressées les unes contre les autres, et ces tours qui les hérissaient çà et là ! Comme ils étaient réels, les murs de ces palais, sombres et bruns, et les bruits de cette foule bigarrée, ses conversations insouciantes et ses éclats de rire !

Je voulais prier, entrer dans une église et tomber à genoux pour prier, mais comment pouvais-je le faire avec la rouelle sur mon habit ? Comment pouvais-je oser faire le signe de croix, sans que l'on pensât que je reniais ma propre religion ?

Je me sentais perdu et je savais seulement que je m'éloignais des maisons où j'avais été envoyé. Et quand je songeai à l'âme du défunt, qui entrait maintenant dans l'inconnu, je fus gagné par le désespoir.

9

Je m'arrêtai. Je me trouvais dans une étroite ruelle boueuse envahie par la puanteur de la fange qui s'écoulait sur la chaussée. Je songeai encore à me rendre dans une église, un endroit où je pourrais m'agenouiller dans l'ombre et prier Dieu de m'aider dans ma tâche, mais de nouveau la pensée de la rouelle cousue sur ma poitrine m'arrêta.

Des gens passaient de part et d'autre, certains s'écartant courtoisement, d'autres me bousculant, tandis que d'autres encore s'attroupaient devant les rôtisseries et les boulangeries. Le parfum de la viande grillée et du pain chaud se mêlait à l'odeur pestilentielle.

Je me sentis soudain trop découragé pour poursuivre et, trouvant un petit espace entre l'étal d'un marchand d'étoffes et celui d'un libraire, je m'appuyai au mur, prenant mon luth dans mes bras comme s'il s'agissait d'un enfant, puis je levai les yeux pour chercher le ciel.

Le jour baissait rapidement. Il commençait à faire froid. Des lampes s'allumèrent dans les boutiques. Un porteur de torche se hâta dans la rue, suivi de deux jeunes gens bien vêtus.

Je me rendis compte que j'ignorais quel mois nous étions, si la saison correspondait plus ou moins à la fin du printemps que j'avais laissé derrière moi. Mais Mission Inn et ma bien-aimée Liona semblaient affreusement lointains, comme si je les avais rêvés. Et il me paraissait tout aussi irréel d'avoir jamais été Lucky le Renard, le tueur à gages.

Une nouvelle fois, je priai pour l'âme de Lodovico. Mais les mots me parurent dépourvus de signification face à mon échec. J'entendis une voix tout près de moi :

– Tu n'es pas obligé de porter cette rouelle.

Avant d'avoir pu lever les yeux, je sentis que le morceau de tissu était arraché de ma tunique. Je relevai la tête et vis un grand jeune homme, vêtu de velours bordeaux éclatant, avec des chausses noires et des bottes de même couleur. Il portait une épée dans un fourreau lourdement chargé de pierreries et une petite cape grise d'un velours aussi fin que celui de sa tunique.

Ses cheveux étaient longs comme les miens, mais d'un brun très doux et luisant. Son visage était remarquablement symétrique, et ses lèvres ourlées d'une grande beauté. Il avait de grands yeux noirs.

De sa main gantée, il froissa la rouelle qu'il avait si aisément arrachée et la fourra dans sa ceinture.

– Tu n'en as pas besoin, expliqua-t-il d'un ton aimable. Tu es le serviteur de Vitale, et sa famille comme sa maison sont exemptées du port de la rouelle. Il aurait dû penser à t'informer.

– En quoi cela importe-t-il ?

L'inconnu déroula une petite cape de velours rouge qu'il portait sous son bras et m'en couvrit les épaules, puis il me ceignit d'une épée au pommeau décoré de pierreries.

– Qu'est-ce que tout cela ? demandai-je. Qui es-tu ?

– Il est temps que tu prennes un peu de repos afin de réfléchir, dit-il du même ton assuré.

Il me prit le bras. Je repassai le luth dans mon dos et laissai le jeune homme m'entraîner dans la ruelle.

À présent, il faisait presque nuit. Des torches nous croisaient en grésillant dans le noir, et la lumière de quelques boutiques se déversait dans l'étroite ruelle. Ébloui, je n'y voyais goutte.

– Qui t'a envoyé à moi ? demandai-je.

– À ton avis ? répondit-il.

Il m'avait enveloppé de son bras et me poussait doucement. De sa personne impeccablement soignée émanait un sombre et suave parfum. Les Romains que j'avais rencontrés jusqu'ici n'étaient pas sales, mais même les plus soignés paraissaient un peu crasseux et certains exhalaient une odeur naturelle de peau et de cheveux. Ce n'était pas du tout le cas de ce jeune homme.

– Mais Vitale ? demandai-je. Pouvons-nous le laisser seul en un moment pareil ?

– Il n'arrivera rien ce soir, m'assura-t-il en se penchant pour me regarder droit dans les yeux. Ils vont ensevelir Lodovico, pas en terre consacrée, bien sûr, mais son père accompagnera sa dépouille dans sa dernière demeure. La maison prendra le deuil, qu'il soit permis ou non de le faire en cas de suicide.

– Mais ce prêtre, le frère Piero, qu'en est-il de ses accusations ? Et je ne sais si le *dybbuk* fait toujours des siennes.

– Remets-t'en à moi, dit-il gentiment, comme l'aurait fait un médecin. Et laisse-moi soigner la douleur que tu éprouves. Permets-moi de te dire que tu n'es pas en état d'aider quiconque en ce moment. Tu as besoin de repos.

Nous traversions une immense place. Des torches brûlaient aux entrées de spacieuses maisons de quatre étages, et des lumières brillaient dans les milliers de tours se dressant vers le ciel saupoudré d'étoiles.

Les hommes qui nous entouraient étaient vêtus avec une grande recherche, leurs mains baguées ou gantées d'étoffes de couleur, et beaucoup se hâtaient comme pour quelque importante réunion.

Des femmes habillées de soies magnifiques marchaient délicatement dans la poussière, suivies de leurs serviteurs, qui portaient des couleurs sombres. Des hommes passaient, ployant sous le poids de litières ouvragées dissimulant leurs occupants derrière des tentures multicolores. J'entendais de la musique au loin, mais le brouhaha des conversations la couvrait. J'aurais voulu m'arrêter pour contempler ce spectacle sans cesse changeant, mais j'étais mal à l'aise.

– Pourquoi Malchiah n'est-il pas venu à moi ? demandai-je. Pourquoi t'a-t-il envoyé ?

L'homme sourit et me regarda comme si j'étais un enfant confié à ses soins.

– Ne te soucie pas de Malchiah. Tu me pardonneras de prendre un ton un peu moqueur quand nous parlons de lui, veux-tu ? Les puissants sont toujours moqués par ceux qui le sont un peu moins, ajouta-t-il avec une lueur malicieuse dans le regard. Viens, voici le palais du cardinal. Le banquet dure depuis l'après-midi.

– Quel cardinal ? demandai-je. Qui est-ce ?

– Quelle importance ? Nous sommes à Rome dans son époque de splendeur, et qu'en as-tu vu pour l'instant ? Rien d'autre que les affreux événements qui se tramaient dans une demeure accablée.

– Attends un instant, je ne...

– Viens, il est temps d'apprendre, dit-il. (De nouveau, il me parlait comme à un petit enfant. Je trouvai cela à la fois plaisant et agaçant.) Je sais combien tu désirais connaître cette époque, continua-t-il, et il y a ici des choses que tu devrais voir, car elles font partie de la gloire de ce monde.

Sa voix résonnait avec profondeur et il disait tout cela sur un ton très naturel. Même le sourire de Malchiah n'avait pas la tendresse du sien, ou du moins me semblait-il dans cette vive lumière.

Nous nous retrouvâmes dans un véritable flot de gens splendidement vêtus et franchîmes une immense arche dorée débouchant sur une vaste cour ou une salle, je n'aurais su dire. Des centaines de personnes nous entouraient. En marge de cet espace se dressaient d'imposants sapins illuminés de chandelles, et deux interminables rangées de tables couvertes de lourdes draperies s'étendaient de part et d'autre.

Certains convives étaient déjà installés, portant de riches robes et des chapeaux, face à la cohorte de serviteurs qui allaient et venaient, chargés d'outres de vin, de plateaux de gobelets et de plats de fruits.

Au-dessus de nous, de grandes arches de bois, ornées de guirlandes de fleurs, soutenaient un immense dais de drap d'argent scintillant.

Des torches flambaient autour de la salle. De lourds chandeliers d'or et d'argent étaient placés de loin en loin sur les tables parmi la vaisselle d'or. Les convives étaient assis sur des bancs garnis de coussins.

On nous conduisit vers la droite, où plusieurs hommes avaient déjà pris place, et nous nous installâmes. Encombré par mon épée, je posai mon luth à l'abri, à mes pieds. À présent, la salle grouillait de monde.

Il devait y avoir plus de mille personnes. Partout, les femmes offraient un délicieux spectacle avec leurs épaules nues et blanches et leurs gorges découvertes, leurs robes de couleurs vives, leurs rangs de perles et de pierres précieuses et leurs coiffures recherchées. Mais les jeunes gens étaient tout aussi fascinants, avec leurs longs cheveux brillants et leurs chausses. Leurs manches à crevés étaient parfaitement décorées comme celles des femmes, et leurs vêtements bigarrés. Les hommes se pavanaient avec plus d'audace encore que les femmes, mais la bonne humeur semblait régner sur toute l'assemblée.

Soudain apparut une troupe de garçons vêtus de tuniques diaphanes, incarnant probablement le goût antique. Leurs bras et leurs jambes étaient nus, ils portaient des sandales dorées et des couronnes de feuilles et de fleurs dans les cheveux. Leurs joues étaient manifestement fardées, et leurs yeux charbonnés. Ils riaient, souriaient et murmuraient tout en remplissant les gobelets et en présentant des plats de friandises, comme s'ils avaient fait cela toute leur jeune existence. L'un de ces petits ganymèdes remplit nos gobelets d'argent avec une énorme outre de vin qu'il maniait habilement.

Sur notre droite, un groupe de musiciens avait commencé à jouer, et il me sembla que les voix enflaient, comme excitées par la musique. Je la trouvai d'une rare beauté, avec son ample mélodie qui me parut familière, bien que je ne la connusse pas, exécutée à la viole, au luth et au hautbois. Il devait y avoir d'autres instruments, mais je n'aurais su dire lesquels. À ma gauche, un autre groupe de musiciens se joignit au premier pour reprendre le même air. Un tambour marquait lentement le rythme, puis d'autres mélodies s'y mêlèrent et je finis par perdre complètement le cours de la musique, mais la pulsation du tambour continuait de résonner à mes oreilles.

Tout cela me ravit et me troubla à la fois. La multitude de parfums et l'odeur de cire des bougies me piquaient les yeux.

– Malchiah veut que je fasse cela ? demandai-je en touchant le bras de mon compagnon. Il veut que j'assiste à ce banquet ?

– Penses-tu qu'il le permettrait s'il ne le voulait pas ? répondit le jeune homme d'un air innocent. Tiens, bois. Tu es là depuis près d'une journée et tu n'as pas encore goûté le délicieux vin d'Italie.

Il sourit suavement et me mit un gobelet dans la main.

J'allais protester que je ne buvais jamais, que je ne supportais pas l'alcool, mais je me ravisai, pensant que ce n'était qu'une question d'habitude et que le délicieux arôme du vin était fort séduisant. Je le goûtai. Il était sec, avec un léger goût fumé, et parmi les meilleurs que j'eusse jamais goûtés. J'en bus une autre gorgée, et une chaleur apaisante m'envahit. Qui étais-je pour discuter les désirs des anges ? Tout autour de moi, on festoyait et on bavardait aimablement. Un troisième groupe de musiciens se joignit aux deux autres, et je me laissai aller comme dans un rêve.

– Tiens, bois encore, dit mon compagnon.

Il désigna une svelte jeune femme blonde qui passait en compagnie d'autres personnes plus âgées, aux cheveux relevés et tressés de fleurs blanches et d'éclatants joyaux.

– C'est la jeune femme qui est la cause de tout ce trouble, expliqua-t-il. Letizia, que Lodovico convoitait tant, alors qu'elle était promise à Niccolò.

Il avait parlé avec une sorte de révérence, mais le choix de ses mots me troubla, et j'allais le lui faire remarquer quand il me tendit un autre gobelet plein. Je bus. Encore et encore.

La tête me tournait. Je fermai les yeux, les rouvris. Je ne distinguai d'abord qu'une myriade de chandelles scintillant partout, ensuite seulement les tables sous les arches de part et d'autre de cet immense espace. La foule était toujours aussi nombreuse.

L'un des garçons remplit ma coupe et me sourit chaleureusement en s'éloignant. Je bus de nouveau. Lentement, mon esprit s'éclaircit. Partout, je voyais de la couleur et du mouvement. Des gens passaient devant nous et la musique enflait quand, soudain, deux trompettes sonnèrent et des ovations s'élevèrent.

Devant les tables se posta une troupe de danseurs dont les costumes éclatants évoquaient ceux des dieux et déesses antiques, avec des cuirasses et des casques dorés, des boucliers et des lances, et ils entamèrent un ballet lent et gracieux. L'assistance applaudissait à tout rompre et les conversations enflèrent de plus belle.

J'aurais pu contempler des heures ces languides danseurs exécutant lentement leurs tours et leurs figures. Soudain, la musique accéléra, les danseurs s'en allèrent, et un joueur de luth apparut. Un pied posé sur un petit tabouret d'argent, il chanta à pleins poumons, mais avec grâce, les hasards de l'amour.

Une sorte de vertige me prit ; j'étais ébloui par le spectacle. Le joueur de luth était reparti et des acteurs l'avaient remplacé, certains à cheval pour reproduire une scène de bataille, sous les acclamations nourries des convives.

Devant moi était posée une assiette d'or chargée de mets, et je me rendis compte que j'avais mangé avec appétit, quand les serviteurs vinrent ôter la nappe, révélant ainsi une autre draperie d'étoffe écarlate et or. Des coupes d'eau parfumée nous furent apportées pour nous rincer les doigts.

Le premier plat emporté, les serviteurs revinrent avec de la volaille rôtie et des légumes fumants qu'ils nous servirent généreusement. Nous n'avions pas de fourchettes, mais cela ne me surprit pas. Nous mangeâmes avec les doigts et des couteaux d'or. Sans cesse je buvais, à mesure que les garçons remplissaient nos gobelets, et mon regard fut de nouveau attiré vers l'espace dégagé devant moi, où l'on installait un immense décor de rues et de bâtiments pour former une scène.

Je ne pus comprendre le sujet de la pièce qui fut jouée. J'étais distrait par la musique et aussi trop ensommeillé pour prêter attention à toute cette beauté.

Des applaudissements me tirèrent de ma torpeur. Des cochons de lait avaient été apportés et le parfum de la viande était appétissant, mais je n'avais plus faim.

Soudain, je m'alarmai. Que faisais-je ici ? Alors que j'étais censé pleurer la mort de Lodovico et mon incapacité à le sauver, je festoyais avec des inconnus et riais avec eux devant ce déploiement théâtral auquel je ne comprenais rien.

Je voulus parler à l'homme qui m'avait amené ici, mais il bavardait avec son voisin. Il disait gravement :

– Fais-le. Fais ce que tu désires. Tu veux le faire de toute façon, n'est-ce pas ? Alors pourquoi te torturer avec cette question ou, d'ailleurs, avec toute autre ?

Il but une gorgée de vin en regardant droit devant lui.

– Tu ne m'as pas dit ton nom, fis-je en secouant sa manche.

Il se tourna et m'adressa un sourire plein de tendresse.

– Il comporte trop de syllabes et tu n'as pas besoin de le connaître.

La viande était posée devant nous. Il en découpa une large tranche et la déposa dans mon assiette. Avec une grosse cuiller, il me servit du riz et du chou.

– Non, je n'en veux plus, protestai-je. Et je dois partir. Je dois retourner là-bas.

– Quelle sottise ! Tu n'as pas à le faire… Il va bientôt y avoir un bal. La soirée ne fait que commencer et la fête va durer toute la nuit. (Il désigna un groupe à une table tout au bout de la salle.) Vois. Ce sont les invités vénitiens du cardinal. Il s'efforce de les impressionner.

– Tout cela est très bien, dis-je. Mais je dois aller voir Vitale. Je suis resté ici trop longtemps. (J'entendis un délicieux rire près de moi et, me retournant, je vis l'incomparablement belle Letizia la tête penchée vers l'homme qui l'accompagnait.) Elle ne sait certainement pas que Niccolò a perdu son frère.

– Bien sûr qu'elle l'ignore, rétorqua mon compagnon. Penses-tu que sa famille va rendre publique la disgrâce qu'est le suicide de cet imbécile ? Laisse-les donc s'occuper de leurs petites manigances.

– Pourquoi parles-tu d'eux ainsi ? demandai-je, envahi par une colère froide. Ils souffrent, et je suis ici pour les soutenir dans leur douleur. Je suis venu répondre à leurs supplications. On dirait que tu réprouves ces gens et leurs prières !

Je me rendis compte que j'avais haussé le ton. Cela me parut téméraire. C'est ainsi que je parlais à un ange ?

Il me regarda, et je me laissai aller à scruter son visage. Il souriait comme s'il me trouvait divertissant, mais il n'y avait là ni mépris ni dédain.

– Es-tu la réponse à leurs prières ? me demanda-t-il doucement, l'air plein de sollicitude. L'es-tu ? Penses-tu réellement que c'est la raison de ta présence ici ? (Il parlait très bas, trop bas pour ce lieu immense, pour pouvoir se faire entendre par-dessus la magnifique musique qui s'élevait des deux côtés de la salle. Et, pourtant, j'entendis chacun de ses mots.) Et si je te disais que tu n'es la réponse à la prière de personne, que tu étais la dupe d'esprits qui voudraient te le faire croire pour des raisons qui n'appartiennent qu'à eux seuls ?

L'air soucieux, il posa la main sur mon poignet.

Je fus terrifié. Je restai coi, contemplant les lourdes boucles de ses cheveux et son regard impassible. Ce n'était pas lui qui me terrifiait, mais ce qu'il venait de me dire. S'il en était ainsi, alors le monde n'avait aucun sens et j'étais perdu. Je le sentis immédiatement et avec certitude.

– Qu'es-tu en train de me dire ? demandai-je.

– Que l'on t'a menti, répondit-il avec la même tendre sollicitude. Il n'y a pas d'anges, Toby, il n'y a que des esprits, des esprits désincarnés, les esprits de ceux qui étaient vivants et qui ne le sont plus. Tu n'as pas été envoyé ici pour aider quiconque. Les esprits qui te manipulent se nourrissent de tes émotions, ils s'en repaissent aussi sûrement que les personnes de cette assemblée se repaissent de ces plats.

J'aurais juré voir des larmes dans ses yeux.

– Ce n'est pas Malchiah qui t'a envoyé ici, n'est-ce pas ? Tu n'as rien à voir avec lui, dis-je.

– Bien sûr que ce n'est pas lui, mais tu dois te poser cette question : pourquoi ne m'empêche-t-il pas de te dire la vérité ?

– Je ne te crois pas.

Je voulus me lever, mais il me retint.

– Ne pars pas, Toby. Ne te détourne pas de la vérité. Mon temps en ta compagnie sera peut-être plus bref que je l'espérais. Mais laisse-moi t'assurer que tu es enfermé dans un système de croyances qui ne sont rien d'autre que la scène d'une machinerie de mensonges.

– Non, répondis-je. J'ignore qui tu es, mais je refuse de t'écouter.

– Pourquoi ? Pourquoi cela t'effraie-t-il tant ? Je suis venu ici pour te mettre en garde contre cette croyance superstitieuse dans les anges, les dieux et les démons. Maintenant, je t'en prie, laisse-moi atteindre ton cœur.

– Pourquoi veux-tu faire cela ?

– Il se trouve un grand nombre d'entités désincarnées comme moi dans l'univers, dit-il. Nous essayons de guider les âmes, comme toi, perdues dans leurs croyances. Nous essayons de vous ramener sur la voie de la véritable éducation spirituelle. Toby, ton âme peut se retrouver prise au piège pendant des siècles, ne le vois-tu pas ?

– Comment suis-je arrivé ici, comment ai-je pu remonter cinq siècles en arrière dans le temps si tout cela est un mensonge ? demandai-je. Lâche-moi. Je veux m'en aller.

– Cinq siècles en arrière ? répéta-t-il avec un petit rire immensément triste. Toby, tu n'as pas voyagé dans le temps. Tu es dans une autre dimension, c'est tout. Une dimension que les esprits qui sont maîtres de toi ont construite tout exprès parce qu'elle est idéale pour recueillir tes émotions et celles de ceux qui t'entourent et en tirer plaisir.

– Cesse, je t'en prie ! Cette idée est épouvantable. Tu crois que je n'ai pas déjà entendu ce genre de choses ? (J'avais peur. J'étais bouleversé et effrayé. Chacune de ses paroles me révoltait, mais j'étais ébranlé. Une terreur glacée pouvait s'emparer de moi à tout instant.) Les termes que tu utilises ne sont pas nouveaux pour moi, continuai-je. Tu n'imagines tout de même pas que je n'ai jamais entendu parler des théories des dimensions multiples, d'histoires d'âmes qui voyagent en dehors de leur enveloppe corporelle, qui trouvent des esprits pris au piège de réalités auxquelles ils doivent échapper ?

– Eh bien, si tu as lu de telles choses, pour l'amour de toi et de tout ce qui t'est cher, interroge-toi sur ces êtres ignobles qui te manipulent ! insista-t-il. Libère-toi d'eux. Tu peux échapper à ce piège grotesque, à cette bulle de temps et d'espace habilement fabriquée. Il te suffit de le vouloir.

– Comment cela ? m'indignai-je. En claquant des talons et en clamant que je veux revenir chez moi ? Écoute, j'ignore qui tu es, mais je sais ce que tu essaies de faire ! Tu tentes de m'empêcher de retourner auprès de Vitale et d'accomplir ma mission. Et ton insistance, mon ami, dessert bien plus tes théories exsangues que ne le peut ma logique.

Il semblait avoir le cœur brisé.

– Tu as raison, avoua-t-il, les yeux brillants. J'essaie de te faire peur, de te détourner de ton élévation et de t'empêcher de voir la vérité. Toby, ne désires-tu pas la vérité ? Ce que t'a raconté ce prétendu ange n'est que mensonges. Il n'y a pas d'Être suprême qui écoute les prières. Il n'y a pas d'anges ailés chargés d'accomplir sa volonté.

Une grimace méprisante tordit sa bouche, puis son visage reprit son expression compatissante.

– Pourquoi donc devrais-je te croire ? demandai-je. Ton univers est vide, nullement plausible, et je l'ai rejeté il y a bien longtemps. Je l'ai rejeté parce que mes mains étaient couvertes de sang et mon âme noire. Je l'ai rejeté parce qu'il n'avait aucun sens pour moi, et il n'en a pas davantage en cet instant. Pourquoi ton système de croyances serait-il plus plausible que le mien ?

– Croire, croire, croire ! Je te demande d'user de ta raison, me supplia-t-il. Écoute, les esprits qui te harcèlent risquent de revenir à tout instant te reprendre. Je t'en prie, je t'en supplie, aie confiance en ce que je te dis. Tu es un être fortement spirituel, Toby, et tu n'as pas besoin d'un dieu jaloux qui exige d'être adoré, ni que son ange homme de main t'envoie répondre à des prières !

– Et pour qui es-tu venu, toi, avec toute cette passion et tous ces efforts ?

– Je te l'ai dit. Je suis l'une des nombreuses entités désincarnées envoyées pour t'aider dans ce voyage. Toby, c'est la forme de croyance la plus basse et la plus épuisante, cette religion qui est la tienne. Tu dois la dépasser si tu veux évoluer.

– Tu as été envoyé ? Par qui ?

– Comment puis-je te faire comprendre ? demanda-t-il, sincèrement triste. Tu as vécu bien des existences, mais toujours avec une seule âme.

– J'ai entendu cela des millions de fois.

– Toby, regarde-moi dans les yeux. Je suis la personnalité d'une vie que tu as vécue il y a bien longtemps.

– Tu me fais rire !

Ses yeux s'emplirent de larmes.

– Toby, je suis l'homme que tu étais à cette époque, ne le vois-tu pas ? Je suis venu t'éveiller pour que tu connaisses réellement l'univers. Cela n'a rien à voir avec le paradis ou l'enfer. Il n'y a pas de dieux qui exigent d'être adorés. Il n'y a pas de bien ni de mal. Ce piège t'empêche de grandir spirituellement. Défie ces êtres manipulateurs. Refuse de leur obéir.

– Non.

Quelque chose changea en moi. La peur m'avait quitté et la colère que j'éprouvais s'était envolée. Le calme m'envahit et de nouveau j'eus conscience de la musique, de cette merveilleuse mélodie que nous avions entendue en arrivant. Elle exprimait avec tant d'éloquence vertu, justice et beauté qu'elle vous brisait le cœur. Je me retournai vers la foule. Des gens dansaient, hommes et femmes formant deux cercles l'un dans l'autre et tournant chacun dans un sens.

– Tu commences à y songer, n'est-ce pas ? me murmura-t-il à l'oreille.

Je me retournai et le regardai droit dans les yeux.

– Je ne vois rien de convaincant dans tes arguments. Je te l'ai dit, tu décris des croyances qui sont les tiennes. Quelle preuve as-tu qu'il y a d'autres dimensions ou qu'il n'existe pas de Dieu ?

– Je n'ai aucune preuve de ce qui n'est pas, admit-il, l'air désemparé. Je fais appel à ton sens commun. Tu as vécu bien des existences, Toby, et à maintes reprises des esprits comme moi sont venus t'aider… Tantôt tu as accepté, tantôt tu as refusé. Tu te réincarnes sans cesse avec l'intention d'apprendre certaines choses, mais tu ne peux progresser si tu ne te rends pas compte qu'il en est ainsi.

– Ce dont tu parles est un système de croyances, et comme tous les systèmes de croyances il présente une certaine cohérence et une certaine beauté, mais je l'ai rejeté il y a longtemps. Je te l'ai dit, je l'ai trouvé vide et je persiste.

– Comment peux-tu affirmer une chose pareille ?

– Veux-tu vraiment le savoir ? Le veux-tu véritablement ?

– Je t'aime. Je suis toi. Je suis ici pour t'aider à avancer.

– Je le sais parce que, au fond de mon âme, je sais qu'il y a un Dieu. Il y a quelqu'un que j'aime et que j'appelle Dieu. Cet être a des émotions. Cet être est Amour. Et je sens la présence de Dieu dans la substance même du monde dans lequel je vis. J'ai la profonde conviction que Dieu existe. L'idée qu'Il puisse envoyer des anges à Ses enfants présente une certaine élégance que je ne peux nier. J'ai étudié tes idées, ton système, pour ainsi dire, et je le trouve dépouillé, non convaincant et glacial. Au final, il est intensément glacial. Dépourvu de Dieu et glacial.

– Non ! protesta-t-il avec véhémence. Il n'est pas glacial. Tu te trompes. Tu places au centre de ton système un dieu qui n'a jamais existé.

Je me levai en ramassant mon luth. Puis je détachai l'épée de ma ceinture et la laissai tomber à terre, et je lui rendis la cape qu'il m'avait donnée. Ma tête se mit à tourner.

– Ne pars pas, Toby, supplia-t-il.

Il se tenait à côté de moi. Nous marchions dans la foule. J'étais étourdi. Quelqu'un me présenta un gobelet de vin que je repoussai. Il voulut m'arrêter en me prenant dans ses bras.

– Lâche-moi, dis-je. Peu importe ce que tu m'as offert. Je ne sais pas si tu es malfaisant ou simplement perdu dans quelque voyage. Mais je sais ce que je dois faire. Je dois retourner auprès de Vitale et l'aider du mieux que je pourrai.

– Tu peux être libre, chuchota-t-il. Défie-les, maudis-les ! s'emporta-t-il. Dénonce-les et répudie-les. Ils n'ont aucun droit de t'utiliser, conclut-il dans un sifflement.

Il jeta un regard à la ronde, me lâcha mais posa fermement les mains sur mes épaules, et je sentis l'emprise de ses doigts. Cela me déplut. Je me retins de le frapper et tentai de l'écarter.

– Me croiras-tu, demanda-t-il, si je fais disparaître tout ceci ? Si je te renvoie dans ton lit à Mission Inn ? Ou bien préfères-tu la rue arborée de La Nouvelle-Orléans où habite la femme que tu aimes ?

Je sentis le sang me monter au visage.

– Éloigne-toi de moi, criai-je. Si tu es ce que tu prétends être, tu sais qu'il ne peut rien arriver de mal si je retourne auprès de Vitale. Si j'aide un être humain qui se trouve dans le besoin.

– Au diable Vitale ! gronda-t-il. Au diable cet homme et ses manigances répugnantes ! Je refuse que tu sois perdu.

Ses doigts s'enfonçaient dans ma chair, provoquant une vive douleur. Le vacarme de la foule et de la musique ne cessait d'enfler au point de devenir assourdissant, et les lumières n'étaient plus qu'une clarté aveuglante.

Je luttai de toutes mes forces pour rester dans l'instant et ne pas perdre le fil de mes pensées.

– Éloigne-toi de moi, Satan ! chuchotai-je.

Et, à ces mots, je lui assenai en plein visage un violent coup de poing qui le fit tomber à la renverse, comme s'il n'était fait que d'air.

Je vis sa silhouette disparaître, comme aspirée dans un gigantesque tunnel de lumière. En fait, la texture même du monde qui m'entourait était déchirée et son corps explosa dans cette déchirure en gerbes de feu. Je fermai les yeux. Je ne pus m'en empêcher. Je tombai à genoux. La lumière était brûlante comme de la lave. Un cri immense emplit mes oreilles et devint une sorte de hurlement. Une voix s'éleva :

– Dis-moi ton nom !

J'essayai de voir qui parlait, mais la lumière m'aveuglait. Je me couvris le visage des mains, tentant de regarder entre mes doigts, mais je n'aperçus qu'un déluge de feu.

– Dis-moi ton nom ! répéta la voix.

Et j'entendis la réponse du démon, comme un sifflement :

– Ankanoc ! Laisse-moi aller.

La voix s'éleva de nouveau, accusatrice, bien que je n'entendisse pas ce qu'elle disait. Cet être, Ankanoc, avait reçu l'ordre de partir. Il avait été réduit à l'impuissance.

J'entendis un grondement qui enfla, et, bien que j'eusse encore les yeux fermés, je sus que la lumière avait disparu. *Ankanoc.* Le nom résonnait dans mon esprit et j'eus l'impression que je ne l'oublierais jamais. La voix qui avait demandé ce nom, et avait ordonné à l'être de s'en aller me parut familière. Il me semblait que c'était celle de Malchiah, mais je n'en étais pas sûr. Tout mon être était ébranlé.

J'ouvris les yeux.

J'étais à genoux. Autour de moi, la foule continuait de rire et de parler et j'entendais toujours la musique. Ma tête bourdonnait. J'avais mal aux épaules.

Malchiah, accroupi près de moi, me soutenait, mais il ne m'était pas vraiment visible. Je sentis ses mains qui me retenaient. D'une voix muette, il me dit : *Maintenant que tu connais son nom, appelle-le, quelle que soit l'apparence sous laquelle il se présente à toi, et il devra répondre ! Souviens-t'en, maintenant et pour toujours : Ankanoc. À présent, je te laisse faire ton devoir.*

– Ne m'abandonne pas ! chuchotai-je.

Mais il avait disparu.

À côté de moi se tenait un homme au visage rond et aimable, vêtu d'une longue robe rouge. Il tendit la main vers moi.

– Allons, laisse-moi t'aider à te relever, jeune homme. Il n'est que minuit passé de deux minutes, et donc bien trop tôt pour que tu titubes.

D'autres mains m'aidèrent à me relever. Puis, après m'avoir gratifié d'une tape sur l'épaule et d'un sourire, l'homme retourna avec ses compagnons dans la salle du banquet.

Je me retrouvai devant les portes ouvertes du palais. Dehors, il pleuvait. Je tentai de m'éclaircir les idées. De réfléchir à ce qui s'était passé. Minuit passé de deux minutes… J'étais resté tout ce temps !

Qu'avais-je eu en tête pour laisser pareille chose se produire ? La peur s'empara de nouveau de moi et m'envahit au point de me paralyser. Malchiah était-il vraiment apparu ? Avait-il chassé le démon ? Ankanoc… Soudain, je ne vis plus que son visage avenant, ses manières pleines d'une sollicitude apparente, son charme indiscutable.

J'étais sous la pluie. Je détestais la pluie. Je ne voulais pas être mouillé, ni que le luth soit trempé. J'étais dans l'obscurité, assailli par la pluie, et glacé jusqu'aux os.

Je fermai les yeux et priai le Dieu auquel je croyais, *le Dieu de mon système de croyances*, me dis-je amèrement, en Lui demandant de m'aider en cet instant.

Je crois en Toi. Je crois que Tu es là, que je le sente ou non, ou que je sache avec certitude si c'est vrai. Je crois en l'univers que Tu as créé, construit avec Ton amour et Ta puissance. Je crois que Tu vois et sais toute chose.

Je crois en Ton univers, en Ta justice et en Ta cohérence. Je crois en ce que j'ai entendu dans la musique il y a un instant. Je crois en tout ce que je ne puis nier. Et il y a le feu de l'amour au centre de tout cela. Laisse-moi me consumer cœur et âme dans ce feu.

Je sentis vaguement qu'en cet instant je faisais un choix, et que c'était le seul possible. Mon esprit s'éclaircit. J'entendis la mélodie provenant de l'intérieur du palais, celle que les musiciens avaient exécutée au début. Je ne savais si je la reconstituais à partir des bribes que j'entendais ou si elle était réellement jouée, tant le son était faible. Mais je connaissais la mélodie et me mis à la fredonner. J'avais envie de pleurer.

Je n'en fis rien. Je restai là jusqu'à ce que le calme revienne en moi et que l'obscurité ne m'apparaisse plus comme des ténèbres près d'engloutir le monde entier. *Si seulement Malchiah pouvait revenir*, me dis-je, *si seulement il voulait bien me parler encore. Pourquoi a-t-il laissé venir à moi ce démon, ce malfaisant* dybbuk *? Pourquoi l'a-t-il permis ?* Mais qui étais-je pour lui poser une telle question ? Je n'avais pas fixé les règles de ce monde. Pas plus que je n'avais fixé celles de cette mission.

Je devais retourner auprès de Vitale.

Malchiah me donnait l'occasion d'accomplir le bien, et c'était précisément ce que je comptais faire.

Sur ma gauche, j'aperçus la ruelle par laquelle j'étais arrivé et me hâtai dans cette direction pour emprunter la longue rue conduisant à la maison de Vitale.

Je courais tête baissée quand, juste devant la porte de la maison, Pico surgit et jeta un manteau sur mes épaules. Il me fit entrer à l'abri de la pluie et m'essuya vivement le visage avec un linge propre et sec.

Une torche solitaire brûlait sur un porte-flambeau, et sur une petite table les trois bougies d'un chandelier de fer étaient allumées.

Je frissonnai. Il faisait à peine plus chaud ici qu'à l'extérieur, mais peu à peu le froid se dissipa. Mentalement, je revis le visage d'Ankanoc et j'entendis de nouveau ses paroles. Un « système de croyances » ! Je me rappelai les longues phrases qu'il avait prononcées et toutes les expressions familières qui avaient franchi ses lèvres. La passion dans son regard. Puis le sifflement quand il avait avoué son nom.

Je revis le feu et j'entendis le grondement assourdissant qui l'avait accompagné.

Je m'adossai contre le mur de pierre.

Je commençais à prendre conscience de quelque chose : on n'était jamais certain de rien, même quand on possédait une foi immense. On ne savait pas. Le désir, le tourment pouvaient être infinis. Même ici, dans cette maison splendide d'un autre siècle, avec toutes les preuves que le Ciel m'avait accordées. Je ne savais pas vraiment tout ce que je désirais tant savoir. Je ne pouvais échapper à la peur. Un instant plus tôt, un ange m'avait parlé, mais à présent j'étais seul. Et le désir ardent de savoir devenait une souffrance, le désir de voir s'évanouir toute cette misère et toute cette tension. Car ces choses ne prennent jamais vraiment fin.

– Mon maître demande que tu t'en ailles, me dit Pico, éperdu. Voici l'argent qu'il m'a donné pour toi. Il te remercie.

– Je n'ai pas besoin d'argent.

Il en sembla heureux et rangea la bourse.

– Je t'en supplie, ne pars pas. Mon maître est enfermé en ce moment dans la maison du signore Antonio. Le frère Piero a demandé qu'il y demeure en attendant la venue d'autres prêtres. Ils le détiennent à cause du démon.

– Je ne l'abandonnerai pas.

– Le Ciel soit loué ! dit-il en se mettant à pleurer. Le Ciel soit loué ! répéta-t-il. Si mon maître comparaît en justice pour sorcellerie, le verdict ne fait aucun doute. Il mourra.

– Je ferai tout pour que cela n'arrive pas !

Je me dirigeai vers l'escalier.

– Non, maître, je t'en prie, reste ici. Le démon s'est tu depuis seulement quelques heures. Si nous montons l'escalier, il le saura et recommencera.

– Je vais aller parler à ce démon, expliquai-je en prenant le chandelier. Je viens de converser avec un autre démon, et celui-ci ne me fait pas peur.

10

À peine eus-je atteint les marches de pierre que j'entendis le *dybbuk*. Il était tout en haut, au-dessus de moi. Je songeai à Vitale qui avait dit qu'« à l'étage » il avait découvert la synagogue de la maison et ses livres sacrés. Je montai en protégeant d'une main les flammes des chandelles, passai devant l'étude de Vitale et continuai jusqu'au dernier étage.

Les bruits enflèrent et se firent plus insistants. Du verre se brisa. Des coups résonnaient sur le sol et des objets étaient projetés contre les murs.

Je me trouvai finalement sur le seuil d'une vaste pièce. Silence. Le plafond était un peu plus bas qu'aux étages inférieurs.

Immédiatement, la lumière me révéla les portes d'argent luisant de l'arche qui devait contenir les livres sacrés de Moïse. Elle était enchâssée dans le mur est. Une sorte d'estrade lui faisait face, devant laquelle plusieurs bancs poussiéreux étaient disposés, et tout au bout à droite se dressait un grand paravent peint et doré. Derrière se trouvait un long banc, très probablement prévu pour les femmes venant assister aux cérémonies. Les murs étaient recouverts de lambris sombres, sur lesquels je distinguai de nombreuses inscriptions hébraïques. Sur une table voisine de l'estrade se trouvait un tas de rouleaux.

De beaux lustres d'argent ornaient le plafond. Les fenêtres étaient toutes fermées et verrouillées, et seul mon chandelier émettait de la lumière.

Soudain, les bancs devant moi se mirent à vibrer, puis à bouger et s'entrechoquer, tandis que les lustres grinçaient au bout de leurs chaînes.

Un petit livre relié de cuir décolla d'un des bancs et vola dans ma direction. Je l'esquivai, il atterrit derrière moi.

– Qui es-tu ? demandai-je. Si tu es un *dybbuk*, je te somme de me dire ton nom !

À présent, tous les bancs bougeaient et se fracassaient les uns contre les autres, et le paravent tomba au sol dans un grand vacarme. D'autres objets volèrent vers moi et je dus m'écarter de l'entrée en me protégeant de la main. Un bruit creux retentit en un grondement qui me rappela celui d'Ankanoc quand il avait été banni, mais il me sembla venir d'une voix humaine. C'était si fort que je dus me couvrir les oreilles.

– Au nom de Dieu, hurlai-je, je te somme de te présenter !

Mais cela ne fit qu'accroître la fureur du spectre. L'un des lustres se balança si violemment qu'il finit par rompre sa chaîne et s'écrasa sur les bancs.

Je me jetai sur le sol comme si j'étais terrifié, mais je ne l'étais pas. Je m'efforçais de ne pas trembler ni ciller devant ce tumulte. Je posai le chandelier à terre et demeurai immobile. Si cette créature soufflait mes bougies, je me trouverais en très mauvaise posture, mais elle n'en fit rien. Je restai sans bouger ni parler, et le calme revint.

Lentement, je saisis mon luth et l'attirai à moi. Sans vraiment d'idée préconçue, je pinçai délicatement les cordes pour l'accorder. Je fermai les yeux et jouai de mémoire l'air que j'avais entendu dans le palais du cardinal. Je songeai à la musique qui m'avait guidé tandis que je me disputais avec Ankanoc. Je pensai à sa cohérence, à son éloquence, à la manière dont elle avait évoqué un monde où l'harmonie était infiniment plus qu'un rêve et où la beauté désignait le divin. Je pleurais presque en cédant à la musique, que je faisais mienne en y apportant mes propres variations quand la mémoire me faisait défaut.

Les douces notes du luth résonnaient sur les parois. Je m'enhardis, accélérai la mesure et multipliai les variations pour transformer la mélodie en un commentaire mélancolique sur elle-même. Je fredonnai les notes les plus graves, puis chantonnai à mi-voix en me laissant guider par mes doigts. Les larmes me montèrent aux yeux. Je les laissai couler sur mes joues. Je commençai à chanter les paroles d'un psaume.

« Oh, Seigneur de mon salut, quand je pleure dans les ténèbres devant Toi, laisse mes prières T'atteindre.

(Incapable de me souvenir du texte, j'improvisai.) Je suis aux abords du Sheol. Prête l'oreille à ma plainte. »

Je continuai de chanter à mesure que me revenaient les paroles, me contentant de fredonner quand je les oubliais. Mes yeux scrutaient la pénombre et je me rendis compte que je n'étais pas seul.

Devant l'arche, non loin de moi, se tenait un vieillard.

Nous nous dévisageâmes et je vis son expression étonnée. Je n'eus aucune peine à comprendre pourquoi : il était tout aussi stupéfait que moi que je puisse le voir.

Je cessai de jouer. Je me contentai de le regarder, bien décidé à ne montrer aucune peur, et d'ailleurs je n'en éprouvais pas. Je sentais monter en moi un mélange d'excitation et d'émerveillement, et je me demandais ce que je devais faire.

– Tu n'es pas un *dybbuk*…, murmurai-je.

Il ne sembla pas m'entendre. Il continuait de me dévisager et je fis de même, mémorisant chaque détail grâce à mes capacités d'assassin, déterminé à ne rien manquer de ce qui se présentait à moi.

Il était petit, légèrement voûté, et très âgé, son crâne était dégarni sur le dessus et de longs cheveux blancs tombaient sur ses épaules. Sa moustache et sa barbe étaient blanches. Ses vêtements de velours noir, qui devaient être autrefois élégants, étaient à présent miteux et déchirés par endroits. Des franges étaient cousues au bas de son manteau et il portait sur la poitrine la rouelle infamante qui le désignait comme juif. Immobile, il me dévisageait attentivement d'un regard ardent à travers ses lunettes.

Des lunettes. J'ignorais que l'on en portait à cette époque. Mais assurément il en avait, et les flammes de mes bougies se reflétaient sur leurs verres.

Malchiah, fais-moi la grâce de me laisser lui parler.

– Je peux te voir, dis-je doucement au vieillard. Je ne suis pas venu en ennemi. Je suis ici seulement pour découvrir pourquoi tu hantes ces lieux. Qu'est-ce qui trouble ton repos ? Qu'est-ce qui t'a empêché de pénétrer dans la lumière ?

Pendant une seconde, le vieillard resta silencieux et pensif. Puis il s'avança vers moi.

Je crus que mon cœur allait cesser de battre. Il marchait d'un pas assuré. Je retins mon souffle. Il paraissait fait de chair. Je ne fus guère réconforté de me répéter que j'étais moi-même un esprit dans ce lieu, que sa présence n'était pas plus miraculeuse que la mienne. J'étais décidé à ne pas montrer ma peur.

Il me frôla et sortit dans le couloir. Immédiatement, je m'emparai du chandelier et, oubliant le luth, le suivis. Il gagna l'escalier, descendit rapidement et sans un bruit. Je lui emboîtai le pas.

Il ne se retourna pas une seule fois. Le petit homme voûté marcha vite, avec la souplesse d'un fantôme, jusqu'à la porte fermée de la cave. Il la traversa et je me hâtai de l'ouvrir pour le suivre. Je l'aperçus au bas des marches et me précipitai derrière lui, découvrant au fur et à mesure le désordre qui régnait là.

Des tables et des chaises brisées gisaient de toutes parts devant des tonneaux de vin alignés contre les parois. Des amas de meubles retenus par des cordes étaient empilés sur les tonneaux, dont certains, percés, avaient répandu leur contenu sur le sol. Des centaines de livres moisis s'entassaient, déchirés et froissés.

Je vis des torchères et des candélabres renversés, des paniers éparpillés, de vieux vêtements chiffonnés et épars. Le vieil homme se tenait à présent au milieu de la pièce et me regardait.

– Que veux-tu de moi ? demandai-je. (Je fus sur le point de me signer, mais cela eût été un affront pour lui.) Au nom du Seigneur des Cieux, que puis-je faire ?

Il se mit dans une fureur noire. Il hurla et gronda en tapant du pied sur le sol de la cave qu'il regardait fixement. Puis il se saisit de tout ce qui lui tombait sous la main. Il prit une bouteille, la fracassa sur les dalles, puis il jeta des livres à terre. Il déchira des parchemins dont les lambeaux volèrent autour de lui. Il tapa du pied en désignant le sol et en hurlant comme un fauve déchaîné.

– Cesse, je t'en prie, je t'en conjure ! m'écriai-je. Tu n'es pas un *dybbuk*. Je le sais. J'entends tes cris. Dis-moi ce que tu as sur le cœur.

Mais je ne savais s'il m'entendait. Il commença à jeter des objets sur moi. Des pieds de chaise, des couverts, des bouteilles brisées. Tout ce qui se trouvait à sa portée, il me le lançait.

La cave tremblait. Des meubles s'écroulèrent des tonneaux comme sous l'effet d'un séisme. Une bouteille m'atteignit violemment à la tempe et je sentis l'odeur aigre du vin qui se répandait sur mon épaule. Je reculai, étourdi. Mais je ne lâchai pas mon chandelier encore allumé.

Je fus tenté de le condamner pour ce geste, de faire appel à sa reconnaissance, car j'avais daigné descendre ici avec lui ; mais je me rendis compte que c'était un orgueil aussi vain que stupide. Il était malheureux. Que devais-je faire ?

Je baissai la tête et priai à mi-voix. *Seigneur, fasse que je n'échoue pas comme avec Lodovico.* De nouveau, je choisis un psaume dont je me souvenais vaguement et, alors que je chantais ma supplique, il se calma peu à peu.

Il resta planté au même endroit en me désignant le sol.

Soudain, j'entendis Pico en haut de l'escalier.

– Maître, pour l'amour du Ciel, sors ! cria-t-il.

Non, pas tout de suite, m'exhortai-je, désespéré.

Le fantôme avait disparu.

Tous les objets se mirent brusquement à voler dans la pièce. Un coup de vent souffla les chandelles.

Dans les ténèbres, je posai le chandelier, tournai les talons et courus vers la clarté que j'apercevais en haut des marches. J'étais certain de sentir des mains qui me tiraient, des doigts agrippant mes cheveux et un souffle courant sur mon visage.

En proie à la panique, je continuai mon ascension, écartai Pico de mon chemin et claquai la porte de la cave. Je tirai le verrou et m'adossai au battant en reprenant mon souffle.

– Maître, tu as du sang sur le visage, s'écria Pico.

Derrière la porte s'éleva un pitoyable hurlement, puis nous entendîmes le grondement de tonneaux roulant sur le sol.

– Peu importe le sang, dis-je. Conduis-moi auprès du signore Antonio. Je dois lui parler immédiatement.

– À cette heure ? protesta Pico.

– Il sait qui est le fantôme, dis-je, n'en démordant pas.

Je tentai de me rappeler ce qui m'avait été raconté. Un érudit juif avait habité cette maison, vingt ans auparavant. Cet homme avait aménagé la synagogue au dernier étage. Le signore Antonio n'avait-il jamais soupçonné que cet homme pouvait être le fantôme ?

Nous tambourinâmes à la porte de la maison du signore Antonio jusqu'à ce que le veilleur de nuit ensommeillé apparaisse et, voyant qui nous étions, nous laisse entrer.

– Je dois voir le maître sur-le-champ, annonçai-je au vieil homme, qui secoua la tête comme s'il était sourd.

C'était stupéfiant combien cette maison comptait de serviteurs infirmes et âgés. Pico prit la chandelle et me mena à l'étage.

La chambre du signore Antonio était remplie de chandelles allumées. Les portes étaient grandes ouvertes, et je l'aperçus immédiatement, agenouillé dans sa longue robe de laine au pied de son lit. Il était tête nue, luisant de sueur dans la lumière, les bras en croix. Sans doute priait-il pour son fils.

Il sursauta en me voyant sur le seuil. Puis il me dévisagea d'un air scandalisé.

– Pourquoi viens-tu ici à présent ? demanda-t-il. Je croyais que tu t'étais enfui.

– J'ai vu le fantôme qui hante l'autre maison, dis-je. Je l'ai vu clairement et je ne doute pas que vous sachiez qui il est.

J'entrai dans la chambre et tendis les mains pour l'aider à se relever. Il accepta, car il peinait grandement vu son âge, gagna l'un de ses immenses fauteuils sculptés et se laissa tomber sur les coussins. Il se frotta le nez un moment comme s'il avait mal, puis leva les yeux vers moi.

– Je ne crois pas aux fantômes ! s'écria-t-il. Aux *dybbuks*, oui, aux démons, oui, mais pas aux fantômes.

– Eh bien, songez-y à nouveau. Ce fantôme est un petit homme très âgé. Il est vêtu d'une tunique de velours noir, longue comme celle d'un érudit, avec des franges bleues à l'ourlet de son manteau. Il porte la rouelle de la honte sur sa tunique ainsi que des lunettes, ajoutai-je en mimant l'objet devant mes yeux. Il a le crâne dégarni, de longs cheveux blancs et une barbe. (Il resta sans voix.) Est-ce l'érudit juif qui habitait cette maison il y a vingt ans ? demandai-je. Connaissez-vous le nom de cet homme ? (Il ne répondit pas, mais il était fort impressionné par ma description. Il demeura le regard fixe, abasourdi et accablé.) Pour l'amour du Ciel, dites-moi si vous connaissez cet homme, repris-je. Vitale est enfermé sous votre toit. Il sera questionné par l'Inquisition pour avoir...

– Oui, oui ! J'ai essayé de mettre un terme à tout cela ! s'écria-t-il en levant la main. (Il soupira et, après un moment de silence, parut céder à la nécessité.) Oui, je sais qui est ce fantôme.

– Savez-vous pourquoi il hante la maison ? Savez-vous ce qu'il désire ? (Il secoua la tête. Manifestement, il était au supplice.) La cave dissimule-t-elle un secret ? Il m'y a conduit et m'a désigné le sol.

Il laissa échapper un long et douloureux gémissement et se cacha le visage dans ses mains.

– Tu as vraiment vu cela ? chuchota-t-il.

– Oui, je l'ai vu. Le vieillard est furieux, il hurle et pleure de chagrin. Et il désigne le sol.

– Oh, n'en dis pas davantage, me supplia-t-il. Pourquoi ai-je été assez sot pour croire que c'était impossible ?

Il se détourna de moi, comme s'il ne supportait pas mon regard, et baissa la tête.

– Comptez-vous cacher ce que vous savez ? demandai-je. Ne pouvez-vous pas témoigner que cette chose n'a rien à voir avec Vitale, Niccolò ou ce pauvre Lodovico ? Signore Antonio, vous devez me dire la vérité.

– Tire ma sonnette, dit-il.

J'obéis. Quand apparut son serviteur, un autre vieillard, il lui déclara qu'à l'aube il devait rassembler toute la maisonnée dans la demeure voisine que hantait le fantôme. Il fallait y faire venir le frère Piero, Niccolò et Vitale, et que tous se rassemblent autour de la table de la grande salle, qui devait être essuyée. Il fallait aussi apporter des lampes et des chaises, ainsi que du pain et des fruits, car il avait une histoire à raconter.

Je pris congé de lui.

Pico, qui attendait dans le couloir, me conduisit à la porte de Vitale. Quand je l'appelai, il répondit d'une voix accablée. Je lui enjoignis de ne pas avoir peur. J'avais vu le fantôme, et son mystère allait bientôt être révélé.

Puis je me laissai conduire dans une petite chambre aux murs peints et, si curieux que j'étais de tout cela, je me laissai tomber sur le lit et m'endormis aussitôt.

Je me réveillai aux premières lueurs de l'aube. J'avais rêvé d'Ankanoc. Nous étions assis ensemble dans un lieu confortable, et il me disait, avec son air charmeur habituel : « Ne t'avais-je pas prévenu ? Il y a des millions d'âmes perdues dans des systèmes de chagrin, de souffrance, et retenues par des affections sans importance. Il n'y a nulle justice, nulle miséricorde, nul Dieu. Personne n'est témoin de ce que nous subissons, excepté nous-mêmes. »

Des esprits qui t'utilisent, se nourrissent de tes émotions, pas de dieu, pas de diable...

Muettement, je lui répondis dans la petite chambre, ou plutôt je me répondis à moi-même : *Il y a une miséricorde. Et il y a une justice. Et il y a un Être qui est témoin de tout. Et, par-dessus tout cela, il y a l'Amour.*

11

À mon arrivée, la famille était déjà réunie dans la grande salle de la malheureuse maison. Le fantôme se déchaînait dans la cave, où il poussait des hurlements qui ébranlaient tout le bâtiment. Je vis aussitôt les quatre gardes armés qui veillaient sur le signore Antonio assis au haut bout de la table. Ce dernier paraissait reposé et résolu, solennel dans son costume noir, tête baissée et mains jointes comme pour une prière.

Niccolò avait l'air merveilleusement remis, et c'était la première fois que je le voyais dans des vêtements de ville. Il était vêtu de noir comme son père, ainsi que Vitale, assis à côté de lui, qui leva vers moi un regard timide.

Le frère Piero était installé au bas bout de la table, accompagné de deux clercs et d'un homme muni de papiers, d'une plume et d'un encrier qui devait être un secrétaire. Sur une immense desserte sculptée trônaient des plats en abondance, et de nombreux serviteurs effrayés, dont Pico, attendaient le long du mur.

– Assieds-toi ici, dit le signore Antonio en me désignant la place à sa droite.

J'obéis.

– Je répète que je m'oppose à cela ! commença le frère Piero. Cette communion avec des esprits, ou je ne sais comment ce doit être qualifié. Cette demeure doit être exorcisée et je suis prêt à m'acquitter de cette tâche sur-le-champ.

– Assez de tout cela, intervint le signore Antonio. Je sais à présent qui hante cette maison, et pourquoi. Je vais vous le dire. Mais je vous en conjure, pas un mot ne doit sortir de cette pièce.

Les prêtres acceptèrent de mauvaise grâce, et je compris qu'ils ne se considéraient liés par aucune obligation. Peut-être cela n'avait-il pas d'importance.

Les bruits continuaient de résonner dans la cave et de nouveau je fus convaincu que le fantôme faisait rouler les tonneaux sur le sol. Sur un geste du signore Antonio, les gardes fermèrent la porte de la salle avant que leur maître prenne la parole.

– Permettez-moi de revenir des années en arrière, lorsque j'étais un jeune étudiant à Florence et que, me divertissant fort à la cour des Médicis, je ne fus guère heureux de voir apparaître dans la ville le féroce Savonarole. Savez-vous qui il était ?

– Dis-le-nous, père, répondit Niccolò. Nous avons entendu son nom toute notre vie, mais nous ne savons pas vraiment ce qui s'est passé à l'époque.

– Eh bien, j'avais de nombreux amis parmi les juifs de Florence, autant à l'époque qu'aujourd'hui, dont un professeur érudit qui m'aidait à traduire des textes de médecine arabes qu'il connaissait fort bien, étant un grand professeur d'hébreu. Cet homme, je le vénérais autant que vous, mes fils, avez vénéré vos professeurs juifs de Padoue et de Montpellier. Il se nommait Giovanni, et je lui étais fort redevable de tout le travail qu'il accomplissait pour moi… Et parfois je me disais que je ne le payais pas assez, car chaque fois qu'il me donnait un manuscrit magnifiquement transcrit je l'apportais aussitôt chez l'imprimeur et le livre était bientôt distribué à tous mes amis. Les traductions et annotations que Giovanni fit pour moi circulèrent dans toute l'Italie, car il travaillait fort vite et rédigeait sans jamais faire la moindre faute.

« Giovanni, qui était mon bon ami et un compagnon de boisson, recourait à ma protection quand les moines venaient prêcher et soulever la population contre les juifs. Il en était de même de son fils unique, Lionello, qui était pour moi un ami et un compagnon. Je les aimais, lui et son père, de tout mon cœur.

« Vous savez comment se déroule la semaine sainte dans toutes nos villes. Les portes se ferment sur tous les juifs, du jeudi saint jusqu'au dimanche de Pâques, pour leur protection mais pas seulement. Et, alors que l'on prononce dans chaque ville des sermons les dépeignant comme les assassins du Christ, les jeunes ruffians parcourent les rues et criblent de pierres toutes les maisons juives qu'ils trouvent sur leur chemin. Les juifs restent chez eux, à l'abri de ces méfaits, et il y a rarement plus d'une ou deux fenêtres brisées. Au soir du dimanche de Pâques, la populace se calme, chacun retourne à ses occupations, les juifs réparent les fenêtres et tout est oublié.

– Nous savons tout cela, et nous savons aussi qu'ils méritent ce traitement, dit le frère Piero, car en vérité ils sont les assassins de Notre-Seigneur bien-aimé.

– Ah, ne faisons pas ici le procès des juifs, protesta le signore Antonio. Vitale est sans conteste respecté par les médecins du pape, et nombre des membres de sa famille sont au service de riches Romains fort heureux de les avoir auprès d'eux.

– Nous direz-vous ce que la semaine sainte a à voir avec les exactions de cet esprit ? répliqua le frère Piero. Est-ce quelque fantôme juif qui s'imagine accusé à tort de la mort du Christ ?

Le signore Antonio lui jeta un regard méprisant. Et soudain retentit dans la cave un vacarme comme nous n'en avions encore jamais entendu.

Le signore Antonio redoubla de gravité. Il continua de fixer le prêtre mais ne répondit pas immédiatement. Le frère Piero fut ébranlé et irrité par le bruit, tout comme les prêtres qui l'accompagnaient. D'ailleurs, tout le monde l'était, même moi. Vitale sursautait à chaque coup résonnant dans la cave. Puis, dans toute la maison, les portes commencèrent à claquer.

Le signore Antonio haussa la voix pour couvrir le tumulte.

– Il arriva une chose terrible à mon ami Giovanni à Florence. Un événement dont fut victime Lionello, que j'aimais tant. (Il pâlit et se détourna, comme pour éviter de revoir la scène qu'il allait rapporter.) Maintenant que je sais ce qu'un père peut éprouver en perdant son fils, je commence à comprendre ce que ce fut pour Giovanni. À l'époque, je ne songeais qu'à mon propre chagrin. Mais ce qui arriva au fils unique de Giovanni fut plus terrible que tout ce qui a pu arriver à mon cher Lodovico sous mon toit. (Il déglutit et poursuivit, d'une voix tendue :) Rappelez-vous que cette époque était bien différente de ce que nous connaissons aujourd'hui à Rome, où le Saint-Père retient les moines afin qu'ils ne montent pas la populace contre les juifs.

– Jamais les moines ne cherchent à faire cela, intervint le frère Piero sur un ton aussi patient et courtois qu'il le put. Quand ils prêchent durant la semaine sainte, ils ne souhaitent que nous rappeler tous nos péchés. Nous sommes tous les assassins de Notre-Seigneur bien-aimé. Nous sommes tous responsables de Sa mort sur la croix. Et, comme vous l'avez dit vous-même, jeter des pierres sur les maisons des juifs n'est guère plus qu'une comédie, et la vie de chacun reprend son cours normal en quelques jours.

– Ah, écoutez-moi… À Florence, pendant la dernière année où j'y habitai, durant l'heureuse période que je passai avec mes amis à la cour de Laurent le

Magnifique, fut proférée durant la semaine sainte à l'encontre du fils chéri de Giovanni, Lionello, une accusation ignoble. Savonarole avait commencé ses prêches, il soutenait que le peuple devait se laver de tout péché. Il exhortait chacun à brûler tout objet rappelant une existence de licence. Et il avait sous ses ordres une bande de jeunes gens, des brutes, tous autant qu'ils étaient, qui parcouraient la ville pour faire exécuter sa volonté. Il en a toujours été ainsi avec les moines. Ils avaient ce que l'on appelait communément leurs séides.

– Nul n'approuve ce genre de chose, dit le frère Piero.

– Pourtant, cela se produit, répondit le signore Antonio. Et ces jeunes gens proférèrent une accusation fantasque contre Lionello, prétendant qu'il avait profané publiquement des images de la Sainte Vierge, et ce en trois endroits. Comme si un juif pouvait être assez insensé pour agir ainsi, ne fût-ce qu'une fois. Et eux l'accusaient de sacrilège à trois reprises ! À la demande des moines, et sur la foi de leurs insanités, un triple châtiment fut décrété pour le jeune homme.

« Cependant, notez bien mes paroles, il était innocent ! Je connaissais Lionello. Qu'est-ce qui aurait pu conduire un homme de son intelligence et de son savoir, amoureux de la poésie et de la musique, à insulter la Madone devant autrui et en trois lieux différents ? Et, pour vous démontrer combien cela était ridicule, imaginez qu'il ait commis quelque acte blasphématoire en un endroit. Lui aurait-on laissé le temps et le loisir de reproduire ailleurs le même crime une deuxième et une troisième fois ?

« Mais Florence était folle. Le pouvoir de Savonarole augmentait. Les Médicis perdaient de leur influence. Et c'est ainsi que la sentence fut prononcée contre ce malheureux Lionello, que je connaissais, comprenez-le, et que j'aimais autant que mon maître Giovanni, que je connaissais et aimais comme l'ami de mon fils, Vitale, ici présent avec nous.

Il se tut comme s'il n'avait pas le courage de poursuivre. Toute l'assistance resta coite. Alors seulement je me rendis compte que le fantôme s'était tu lui aussi. Il ne faisait plus un bruit.

– Quelle fut la sentence ? s'enquit le frère Piero.

Le silence persista. Dans la bâtisse, pas le moindre craquement ni grincement. Je ne voulais pas attirer l'attention de quiconque sur ce fait. Je préférais écouter.

– Il fut décrété, reprit le signore Antonio, que Lionello serait d'abord amené à l'hôpital Santa Maria Nuova, à San Nofri, devant une image qu'on l'accusait d'avoir profanée, et qu'en cet endroit on lui trancherait une main, ce qui fut fait.

Vitale demeurait pétrifié, les lèvres blêmes. Niccolò était horrifié.

– Puis, poursuivit son père, le jeune homme fut conduit par la populace jusqu'à une peinture de la Pietà à Santa Maria in Campo, où son autre main fut tranchée. Ensuite, la foule avait l'intention de le traîner jusqu'au lieu de son prétendu troisième crime, la Madone d'Orsanmichele, où il serait énucléé. Mais la populace, grosse entre-temps de deux mille personnes, n'attendit pas le transfert du pauvre jeune homme. Elle l'arracha à ceux qui l'escortaient et le mutila sur place.

Les deux prêtres étaient effondrés. Le frère Piero secoua la tête.

– Le Seigneur ait pitié de son âme, dit-il. La populace de Florence est pire que celle de Rome.

– Vraiment ? répondit le signore Antonio. Le jeune homme, les mains tranchées, les yeux arrachés et le corps mutilé, s'accrocha pendant plusieurs jours à la vie. Et dans ma maison ! (Niccolò baissa les yeux et secoua la tête.) Je m'agenouillais à son chevet aux côtés de son père en pleurs. Et c'est après cela, quand le beau jeune homme eut été mis en bière, que j'insistai pour que Giovanni m'accompagnât à Rome.

« Savonarole semblait impossible à arrêter. Les juifs allaient bientôt être chassés de Florence. Et j'avais ici ma vaste propriété et mes relations à la cour du pape, qui n'aurait jamais accepté une telle barbarie dans la Ville éternelle, du moins l'espérions-nous. Aussi, mon maître Giovanni, abattu, bouleversé, incapable de parler, de réfléchir ni même de prendre une gorgée d'eau, vint-il se réfugier avec moi à Rome.

– Et c'est à cet homme, demanda le frère Piero, que vous avez donné cette maison ?

– Oui, c'est à lui que j'ai donné la bibliothèque que j'avais accumulée, une étude où il pourrait travailler, des luxes qui, je l'espérais, le consoleraient, et la promesse que des étudiants viendraient auprès de lui puiser la sagesse une fois pansées les blessures de son cœur. Des anciens de la communauté juive vinrent installer la synagogue au dernier étage de la maison et s'y réunirent pour prier avec Giovanni, trop accablé pour franchir la porte et affronter la rue. Mais, je vous le demande, comment un père qui a vu commettre pareille barbarie sur son fils pourrait-il jamais s'en remettre ? (Le signore Antonio considéra les prêtres, puis Vitale et moi. Il regarda son fils Niccolò.) Et rappelez-vous mon âme blessée, chuchota-t-il. Car j'avais eu pour le jeune Lionello la plus grande des affections. Il était le compagnon de mon cœur, Niccolò, comme Vitale l'a toujours été pour toi. Il avait été mon tuteur quand mon professeur perdait patience avec moi. C'est lui qui m'avait fait écrire des vers sur les tables des tavernes. Lui aussi qui jouait du luth comme je te l'ai vu faire, Toby. Lui dont j'ai vu trancher les mains, que j'ai vu jeter aux chiens comme s'il n'était qu'ordure, et déchiqueter avant qu'on lui arrache les yeux.

– Il valait mieux que cette pauvre âme meure, dit le frère Piero. Que Dieu pardonne à ceux qui lui ont fait subir cela.

– Oui, puisse Dieu leur pardonner. Je ne sais si Giovanni le pouvait ou si moi-même j'en étais capable. Mais Giovanni vivait dans cette maison comme un fantôme. Et pas un spectre qui brise des bouteilles sur les murs, claque les portes ou renverse les encriers. Il vivait comme s'il n'avait plus de cœur. Comme s'il n'avait plus rien en lui, alors que moi, à toute heure, je lui parlais de jours meilleurs et de nouvelles perspectives. Je le conjurais de se remarier, car il avait perdu sa femme des années auparavant, et d'avoir peut-être un autre fils. (Il se tut et secoua la tête.) Peut-être était-ce une mauvaise idée. Peut-être cela lui fit-il plus de mal que je ne le pensais. Tout ce que je sais, c'est qu'il conservait ses quelques rares biens par-devers lui, et qu'il ne s'installa jamais dans la bibliothèque ou avec moi pour quelque repas. Je finis par renoncer à l'idée qu'il ferait sienne cette maison et je retournai dans ma demeure. Je venais le plus souvent possible le voir et je le trouvais fréquemment dans la cave. Il n'acceptait d'en sortir qu'une fois certain que j'étais seul. Les serviteurs disaient qu'il y avait caché son trésor et les plus précieux de ses livres. C'était à tous égards un homme anéanti. Sa soif d'érudition avait disparu. Le passé était trop douloureux pour lui. Et le présent n'existait pas.

« Puis vint la semaine sainte, comme chaque année, et les juifs fermèrent leurs portes comme toujours, restant chez eux comme l'exige la loi. Et les brutes du voisinage, la lie du peuple, les sots, envahirent les rues comme chaque fois après les sermons échauffés de carême, pour jeter des pierres sur les maisons des juifs et les accuser d'avoir tué Notre-Seigneur Jésus-Christ.

« Je ne m'inquiétai pas, car Giovanni se trouvait dans l'une de mes maisons et je ne pensais pas qu'il puisse courir le moindre danger, mais le soir du vendredi saint je fus alerté par mes serviteurs. La foule avait attaqué la maison et Giovanni était allé les affronter en pleurant et en hurlant de rage, leur lançant des pierres tout comme ils lui en lançaient. Mes gardes eurent peine à mettre un terme à cette échauffourée. Je ramenai Giovanni à l'abri. Mais son geste désespéré avait déclenché une émeute. Des centaines d'hommes tambourinaient aux portes et sur les murs, menaçant d'abattre les lieux.

« Il y avait nombre de cachettes dans cette maison, derrière les lambris, sous les escaliers, que nul n'aurait pu découvrir, mais le lieu le plus sûr était la cave, sous les dalles. J'y entraînai Giovanni : "Tu dois te cacher, lui expliquai-je, jusqu'à ce que j'aie chassé cette foule."

« Il était ensanglanté, et blessé au visage et au crâne. Je ne crois pas qu'il me comprit. Je soulevai les dalles qui dissimulaient une remise souterraine et l'enjoignis d'y rester jusqu'à ce que le danger soit écarté. Il se débattit comme un beau diable. Finalement, je l'assommai pour le réduire au silence. Comme un enfant, il se détourna, releva les genoux et porta une main à son visage. J'aperçus alors son trésor et ses livres dans leur cachette et songeai que c'était une bonne chose qu'ils soient là, car les ruffians étaient sur le point de pénétrer dans la maison.

« Giovanni gémissait et tremblait tandis que je remettais les dalles en place.

« Les fenêtres de la maison furent brisées l'une après l'autre, tandis que l'on s'acharnait sur la porte. Finalement, entouré de mes serviteurs et armé du mieux que je pouvais, j'ouvris la porte et déclarai à cette populace que le juif qu'elle cherchait n'était pas là. Je laissai les meneurs entrer pour qu'ils le constatent eux-mêmes. Je les menaçai de lourdes représailles s'ils osaient causer le moindre dommage dans ma demeure. Mes gardes et serviteurs les surveillèrent tandis qu'ils parcouraient les pièces et descendaient dans la cave, avant de repartir, bien plus calmes qu'ils n'étaient entrés. Aucun n'avait pris la peine de monter au dernier étage. Ils ne trouvèrent pas la synagogue et les livres sacrés. Ce qu'ils cherchaient, c'était du sang. Ils voulaient le juif qui leur avait résisté et ils ne l'avaient pas trouvé.

« Quand la maison fut de nouveau sûre, je descendis à la cave. Je soulevai les dalles, pressé de libérer mon pauvre ami et de m'occuper de lui, mais qu'imaginez-vous que je trouvai ?

– Il était mort, dit le frère Piero à voix basse.

Le signore Antonio hocha la tête. Puis il se détourna de nouveau, comme s'il souhaitait être absolument seul plutôt que de devoir poursuivre son histoire.

– L'avais-je tué ? demanda-t-il. Ou bien était-il mort des coups qu'il avait reçus auparavant ? Comment le savoir ? Je voyais seulement qu'il était mort. Ses souffrances étaient terminées. Et, sur l'instant, je me contentai de remettre les pierres à leur place.

« Cette nuit-là, une autre bande revint s'en prendre à ma maison. Mais je l'avais fermée et barricadée en partant, et quand ces brutes n'y virent aucune lumière elles finirent par s'en aller.

« Des soldats se présentèrent le lundi d'après Pâques. Était-il vrai qu'un juif connu de moi s'en était pris à des chrétiens durant la semaine sainte, alors qu'il était interdit aux juifs de sortir dans les rues ?

« Je répondis évasivement : "Comment pourrais-je le savoir ? Il n'y a plus de juif ici. Vous pouvez fouiller la maison si cela vous plaît." Et ils le firent. "Il est parti, il s'est enfui", soutins-je. Ils finirent par s'en aller. Mais ils revinrent plusieurs fois m'interroger.

« J'étais malheureux et rongé par la culpabilité. Plus je ruminais, plus je me maudissais de ma brutalité envers Giovanni, et plus je m'en voulais de l'avoir traîné dans la cave et assommé pour le faire tenir tranquille. Je ne supportais pas mon geste, pas plus que la douleur de me rappeler tout ce qui s'était passé naguère. Et, dans mon malheur, j'osai lui en vouloir. J'osai le maudire de l'accablement que j'éprouvais.

Il se tut de nouveau et se détourna. Un long moment passa.

– Vous l'avez laissé ainsi, enseveli dans la cave, dit le frère Piero.

Le signore Antonio acquiesça et se retourna lentement.

– Bien sûr, je me disais que je m'en occuperais bientôt. Je voulais attendre que plus personne ne se rappelle l'émeute de la semaine sainte pour aller trouver les anciens de sa communauté et leur annoncer qu'il devait être enseveli.

– Mais jamais vous ne le fîtes, souffla le frère Piero.

– Non. Jamais. Je fermai la maison et l'abandonnai. De temps en temps, j'y faisais entreposer des biens, de vieux meubles, des livres, du vin. Mais jamais je n'y entrai moi-même. C'est la première fois que j'y pénètre à nouveau.

– Le fantôme s'est tu, dis-je après un long silence. Il s'est tu quand vous avez commencé à parler.

Le signore Antonio baissa la tête et porta la main à ses yeux. Je craignis qu'il se mît à sangloter, mais il se contenta de pousser un soupir avant de poursuivre.

– J'ai toujours cru que je m'en occuperais un jour, que je ferais dire les prières qu'exigeait sa foi. Mais je ne l'ai jamais fait. Avant la fin de cette année-là, je me mariai et commençai à voyager. Mon épouse et moi ensevelîmes plus d'un enfant au cours des années, mais mon cher fils, Niccolò, trompa la mort plus d'une fois. Oh oui, plus d'une… Et il y avait toujours une bonne raison pour ne pas approcher cette maison abandonnée, ne pas remuer la poussière de la cave, ne pas affronter les juifs qui demandaient ce qu'était devenu leur vieil ami, l'érudit Giovanni, ne pas expliquer pourquoi j'avais agi ainsi.

– Mais vous ne l'avez pas tué, dit le frère Piero. Ce n'était pas votre faute.

– Non, mais il est mort tout de même.

Le prêtre soupira et hocha la tête. Le signore Antonio se tourna vers Vitale.

– Quand je t'ai rencontré, je t'ai aussitôt aimé, poursuivit-il. Tu n'imagines pas quel plaisir cela a été pour moi de t'amener dans cette vieille maison, de te montrer la synagogue et la bibliothèque, de te faire connaître tous les livres de Giovanni. (Vitale hocha gravement la tête, les larmes aux yeux.) Je me demandais si mon vieil ami serait heureux que tu habites sous ce toit, s'il serait heureux que tu consultes ses livres. Et je me suis même demandé plus d'une fois si tu pouvais prier pour l'âme de cet érudit qui avait vécu ici avant toi.

– Je prierai pour lui, murmura Vitale.

– Soutenez-vous encore qu'un démon hante ces lieux, un *dybbuk* juif ? demanda le signore Antonio au frère Piero. Ou bien voyez-vous à présent que c'est le fantôme de mon vieil ami dont j'ai relégué le souvenir dans l'oubli parce que je ne pouvais supporter mon chagrin ?

Le prêtre ne répondit pas. Le signore Antonio me regarda. Je compris qu'il voulait que je lui décrive le fantôme que j'avais vu, mais il resta coi. Il ne voulait pas que je sois accusé de voir des esprits ou de leur parler. Je me tus.

– Pourquoi n'ai-je pas envisagé la vérité dès le début ? s'interrogea-t-il en se tournant de nouveau vers le prêtre. Et qui est à présent chargé, légitimement, de donner enfin à la dépouille de mon vieil ami le repos qu'elle mérite ?

Nous restâmes un moment silencieux. Le frère Piero se signa et murmura une prière. Finalement, le signore Antonio se leva et nous l'imitâmes.

– Apportez de la lumière, dit-il aux serviteurs.

Nous le suivîmes hors de la salle jusqu'au rez-de-chaussée. Là, il prit le candélabre de Pico, ouvrit la porte de la cave et descendit les marches.

La scène était bien pire que lorsque je m'y étais trouvé quelques heures plus tôt. Chaque meuble avait été réduit en pièces et tous les livres étaient déchiquetés. Plusieurs tonneaux avaient été éventrés et des débris de verre jonchaient le sol.

Mais aucun bruit inhabituel ne venait troubler le silence, excepté les pas du signore Antonio qui approchait de l'endroit même où j'avais vu se dresser le fantôme.

Il ordonna qu'on débarrasse les débris. Immédiatement, les gardes et les serviteurs s'exécutèrent. Leurs bottes sonnèrent sur les dalles qui recouvraient la niche. Rapidement, celles-ci furent soulevées, révélant la cachette. Et là, à la lumière des bougies, nous vîmes tous le squelette d'un homme ne tenant plus que par les quelques lambeaux de vêtements qui le couvraient encore.

Tout autour de lui s'entassaient ses livres et les sacs de son trésor. Mais lui, combien il avait dû souffrir dans cette cache exiguë, en larmes, blessé, seul ! Une main était encore posée sur son crâne blessé, et l'autre reposait sur le précieux livre à côté de lui.

Comme il paraissait fragile et menu ! Et comme ses lunettes brillaient dans la lumière !

12

Ce même après-midi, les anciens de la communauté juive furent conviés à la maison. Le signore Antonio les reçut en privé, nous laissant ensemble, Niccolò, Vitale et moi.

Un cercueil fut apporté le soir pour recueillir les restes de Giovanni, et à la lueur de torches nous accompagnâmes les anciens sur le long trajet jusqu'au cimetière juif où la dépouille fut inhumée. Toutes les prières furent prononcées selon l'usage.

Aucun ruffian n'eut la possibilité de troubler la procession funèbre. Et quand nous revînmes dans la maison silencieuse il était tard. C'était comme s'il n'y avait jamais eu de fantôme. Les serviteurs balayaient toujours les couloirs et les escaliers, malgré l'heure tardive, et des chandelles étaient allumées dans plusieurs pièces.

Le signore Antonio invita Vitale dans la bibliothèque, où il lui déclara, comme me le confia plus tard le jeune homme, que les richesses de Giovanni avaient été divisées en deux parts égales, l'une destinée aux anciens, et l'autre revenant à Vitale, qui non seulement prierait pour l'âme de Giovanni et honorerait le défunt ainsi qu'il convenait mais aussi commencerait la restauration de ses nombreuses œuvres littéraires. Le signore Antonio possédait de multiples exemplaires de ces livres, et Vitale rechercherait ceux qui avaient été perdus. Cette tâche colossale occuperait un certain temps Vitale pour le compte du signore Antonio.

Entre-temps, Niccolò emménagerait dans la maison comme prévu et Vitale lui servirait de nouveau de secrétaire.

En d'autres termes, la prière de Vitale avait été exaucée, et d'une certaine manière toutes les prières qu'il avait prononcées dans la synagogue puisqu'il était désormais, grâce au legs de Giovanni, en passe de devenir riche.

Je compris que mon temps arrivait à son terme. En fait, je ne savais pourquoi Malchiah n'était pas encore venu me chercher.

Je rendis visite au signore Antonio chez lui alors qu'il allait se coucher et lui annonçai que j'allais bientôt partir, ma tâche étant terminée.

Il me considéra longuement. Je savais qu'il voulait me demander comment ou pourquoi j'avais vu l'esprit de Giovanni. Il n'en fit rien, car le sujet était dangereux à aborder à Rome, et il était manifestement disposé à ne pas insister. Je voulus lui dire combien j'étais navré que Lodovico se fût supprimé. Je tentai de trouver les mots, mais j'en fus incapable. Je me résolus à ouvrir les bras et nous nous étreignîmes tandis qu'il me remerciait de tout ce que j'avais fait.

– Tu peux demeurer avec nous le temps qu'il te plaira, me dit-il. Je suis ravi d'avoir un joueur de luth sous mon toit. Et j'aimerais entendre toutes les chansons que tu connais. Si je ne portais pas le deuil de Lodovico, je te prierais de me jouer quelque chose en cet instant. Tu peux rester auprès de nous. Pourquoi ne le fais-tu pas ?

Il m'avait posé la question très franchement, et je ne sus que répondre. Je le regardai. Je songeai à tout ce qui était arrivé durant ces deux jours et j'eus l'impression que je le connaissais depuis des années. J'éprouvais la même peine que lors de ma première mission pour Malchiah, où j'étais devenu si proche de ceux que j'avais été envoyé secourir.

Je pensai alors à Liona et au petit Toby, et à Malchiah, qui m'avait assuré que je savais aimer. Si c'était vrai, je l'avais appris récemment, et, étant encore affreusement débutant en matière d'amour, je devrais rattraper les dix années où j'avais été incapable d'aimer quiconque. Quoi qu'il en soit, j'aimais cet homme, et j'avais beau souhaiter retrouver Liona et Toby, je ne voulais pas m'en aller.

Niccolò était endormi quand j'entrai dans sa chambre ; je me contentai en guise d'adieu de lui déposer un baiser sur le front. Il avait repris ses couleurs et dormait profondément d'un sommeil réparateur.

Quand je retournai dans l'autre maison, je trouvai Vitale dans la bibliothèque où nous nous étions parlé la première fois. Il s'était déjà attelé à l'une des traductions de Giovanni et une pile de livres l'attendait. Ces volumes provenant de la cachette de la cave étaient fort endommagés par la moisissure et l'humidité, mais il pouvait en distinguer les titres et les sujets et pourrait chercher des exemplaires de remplacement. Il était complètement fasciné par la vie et les études de Giovanni, il parlait aussi de retrouver ceux qui avaient été ses élèves autrefois.

Il se trouva que Pico lui avait raconté notre visite à la maison au matin, et, comme le serviteur avait entendu ma conversation avec le fantôme et la description que j'en avais faite au signore Antonio, Vitale savait tout.

Il était bien conscient que, sans moi, l'Inquisition l'aurait anéanti.

– Tu n'étais pour rien dans tout cela, lui rappelai-je.

Il continua de frissonner, comme s'il ne pouvait pas encore oublier le danger qui l'avait guetté.

– Mais ma prière, ma prière pour obtenir gloire et fortune, penses-tu que c'est elle qui a réveillé cet esprit ?

– C'est l'ouverture de la maison qui l'a réveillé, dis-je. Et, maintenant, ce vieil homme est en paix.

Nous nous étreignîmes, et les larmes me montèrent aux yeux.

Aux alentours de minuit, alors que tous dormaient, je montai à la synagogue, ramassai mon luth là où je l'avais laissé et m'assis dans l'obscurité sur l'un des bancs pour réfléchir.

Dans la faible lumière émanant des torches du couloir, je vis que les serviteurs avaient balayé la salle, enlevé les lustres tombés, et tout nettoyé.

Pourquoi suis-je encore ici ? me demandai-je. J'avais fait mes adieux car j'éprouvais un irrésistible désir de le faire, j'avais la certitude de le devoir, mais je ne savais que faire à présent. Finalement, je me résolus à quitter la maison.

Pico était seul à garder la porte. Je lui donnai presque tout l'or que j'avais sur moi. Il n'en voulait pas, mais j'insistai.

Je conservai juste assez de pièces pour trouver refuge dans la chaleur d'une taverne, où je pourrais écouter de la musique et attendre Malchiah. J'étais convaincu qu'il viendrait.

Je me mis en chemin, m'éloignant de la partie de la ville que je connaissais, empruntant des rues sombres où je ne croisai ici et là qu'un chien ou une silhouette encapuchonnée qui se hâtait. J'avais le cœur lourd. Mon échec concernant Lodovico me pesait, même si je me répétais que le Créateur connaissait le cœur et l'esprit de chacun de nous, et que Lui et Lui seul pouvait juger du malheur, de la confusion et du poison qui avaient conduit Lodovico sur ce sinistre chemin. Plus que jamais je me rendis compte que nous ne savons finalement rien du salut de l'âme d'autrui. Nous pensons toujours à notre âme et ne parlons que d'elle, mais nous ne savons rien de ce que le Créateur sait de notre âme.

Cependant, je m'étonnais de ne pas avoir prévu le suicide de Lodovico. Je songeais à moi-même lorsque j'étais plus jeune, et aux nombreuses fois où j'avais été tenté de me supprimer. Il y avait eu des mois, voire des années, où le suicide m'avait obsédé, et parfois j'avais même planifié ma propre mort jusque dans les derniers détails. En vérité, chaque fois que j'avais exécuté un assassinat pour le compte de l'Homme Juste, dépêchant promptement une autre âme dans l'inconnu, j'avais été si tenté de me supprimer que c'était un miracle que j'aie survécu. À quoi se serait résumée ma vie, si j'avais accompli ce geste ? Soudain, je faillis pleurer de gratitude en me rendant compte que l'on m'avait offert l'occasion de faire le bien. « N'importe quoi, me chuchotai-je en poursuivant mon chemin, du moment que c'est le bien. » Vitale était en vie, et tout allait pour le mieux. Et l'âme de Giovanni avait apparemment trouvé le repos. Si j'avais joué un rôle, si petit fût-il, dans tout cela, j'en étais très heureux. Dans ce cas, pourquoi pleurais-je ? Pourquoi étais-je si triste ? Pourquoi ne cessais-je de voir Lodovico agonisant, la bouche écumante de poison ? Oh, ce n'était pas une victoire parfaite, loin de là…

Et puis il y avait Ankanoc, le véritable *dybbuk* de cette aventure, et ses paroles résonnaient encore en moi. Quand et comment l'affronterais-je, désormais ?

Bien sûr, il avait été stupide de ma part de penser que j'étais capable de voir des anges mais pas des démons, que l'un ne présupposait pas l'autre, et que quelque être sinistre ne parviendrait pas à être davantage qu'une voix négative dans mon esprit. Pourtant, je ne m'y attendais pas. Non, en vérité. Et je ne savais toujours pas quoi en penser. En fait, je croyais en Dieu depuis toujours, mais je ne savais pas si j'avais vraiment jamais cru au Diable.

Je ne parvenais pas à chasser le visage d'Ankanoc de ma mémoire, ni son expression charmante et douce-amère. À n'en pas douter, avant sa déchéance, il avait dû être un ange aussi beau que Malchiah, du moins me semblait-il. C'était choquant de le penser, mais le vaste firmament infini avec ses anges et ses démons était celui auquel j'appartenais désormais plus sûrement qu'à tout autre monde que j'avais connu.

La fatigue me gagnait. Pourquoi Malchiah n'était-il pas venu me chercher ? Peut-être parce qu'il me tenait à cœur de vivre encore un peu ici, de dénicher une agréable taverne, remplie de lumière et de rires, où ne se trouverait aucun joueur de luth.

Je finis par localiser un tel endroit dont la porte était ouverte même la nuit. Un feu flambait dans un âtre grossier, et aux tables et sur les bancs mal équarris se pressaient des hommes de tous âges, riches comme pauvres, le visage luisant, certains tête baissée, assoupis dans la pénombre. Il y avait même des enfants qui sommeillaient sur les genoux de leurs pères ou sur des tas de vêtements jetés à même le sol.

Quand j'apparus avec mon luth, un cri joyeux monta de l'assistance. On me salua en levant des coupes, je m'inclinai puis gagnai une table à l'écart où l'on vint me déposer aussitôt deux chopes d'ale.

– Joue, joue, joue ! s'écria-t-on de toutes parts.

Je fermai les yeux et pris une profonde inspiration. Comme la bière sentait bon, comme le malt était délicieux ! Et comme l'air était chaleureux, rempli de rires et de bavardages… Je rouvris les yeux. De l'autre côté de la taverne, je vis Ankanoc qui me regardait, les yeux embués de larmes, exactement tel qu'il m'était apparu au banquet du cardinal.

Je secouai la tête comme pour refuser tout ce qu'il voulait m'offrir, et je lui répondis de la meilleure manière que je connaissais : avec une chanson.

Je commençai à pincer les cordes puis à jouer, et toute la taverne se joignit à moi, bien que je ne susse pas quelle était ma chanson ni comment ils la connaissaient. Je pouvais facilement rejouer toutes les mélodies de ce moment, et il me sembla que j'étais plus heureux ici en cet instant, entouré de ce peuple grossier et hardi, que je ne l'avais été de toute ma vie à mon époque et peut-être dans toute autre. Ah, quelles créatures brisées nous sommes, et comme nous sommes patients…

En vérité, de sombres souvenirs me revenaient, non pas de ce monde mais de celui que j'avais quitté longtemps auparavant, étant enfant, quand je jouais de vieilles chansons de la Renaissance au coin d'une rue et qu'on jetait des billets à mes pieds. J'étais si triste pour ce garçon, triste de son amertume et des erreurs qu'il allait commettre. J'étais triste qu'il ait vécu si longtemps le cœur fermé et la conscience brisée, alourdissant chaque jour le poids de son ressentiment avec le souvenir d'un chagrin qu'il chérissait. Et je m'émerveillai que des graines de bonté aient si longtemps sommeillé en lui dans l'attente du souffle venu des lèvres d'un ange.

Ankanoc était parti, mais je ne savais quand ni comment. Tout autour de moi, les visages étaient souriants. Les gens accompagnaient ma chanson en frappant les tables de leurs coupes et de leurs chopes. Je chantai d'anciens passages que je me rappelais, mais la plupart du temps accompagnais leurs chants avec des mélodies inconnues de moi et qui me venaient toutes seules.

Je jouai jusqu'à ce que mon âme soit emplie de la chaleur et de l'amour qui m'entouraient, de la lumière du feu et de tous ces visages, emplie du chant des cordes de mon luth, et les paroles devinrent de la musique. Puis il me sembla, au beau milieu de ma chanson la plus hardie, la plus suave et la plus rythmée, que l'air changeait, que la lumière se faisait plus vive, et je compris. Je sus que tous ces visages brillants qui m'entouraient se transformaient en une chose qui n'était plus chair, mais notes de musique, une musique dont je n'étais qu'une infime partie, qui s'élevait de plus en plus haut.

– Malchiah, je pleure, chuchotai-je. Je ne veux pas les quitter.

Un long chapelet de rires brisa doucement l'obscurité qui m'environnait, et chaque syllabe surgissait comme si elle était le noyau d'une mélodie, pleine et entière, et destinée à se mêler à une autre.

– Malchiah, murmurai-je.

Et je sentis ses bras qui m'étreignaient et me berçaient tandis qu'il m'enlevait. La musique était faite d'espace et de temps, et il me semblait que chaque note était une bouche d'où sortait une autre bouche, et ainsi à l'infini.

Il me serrait dans ses bras tout en me transportant vers le ciel.

– Les aimerai-je toujours autant ? Aurai-je toujours tant de peine à les quitter ? Cela fait-il partie de ce que je dois endurer ?

Mais le mot « endurer » n'était pas juste, car il était trop grandiose, trop splendide, trop glorieux. Ses lèvres frôlèrent mon oreille lorsqu'il me rappela, sur un ton très tendre :

– Tu as bien œuvré, et à présent tu sais qu'il y en a d'autres qui t'attendent.

– C'est l'école de l'amour, répondis-je, et chaque leçon est plus profonde, plus raffinée.

J'eus une vision de l'amour ; je vis que ce n'était pas une chose unique, mais une immense communauté de lumière, d'obscurité, de force et d'affection. Et mon cœur se brisa alors que des questions m'assaillaient.

Mais aucune réponse ne me vint, hormis les chants du Ciel.

13

Quelqu'un me secouait. Je me réveillai, tiré d'un cauchemar. Dans la pénombre se tenait Shemariah, se découpant sur le rectangle pâle de la fenêtre. Dehors, la nuit baignait les rues.

– Tu as dormi pendant vingt-quatre heures, dit-il.

Nous étions dans ma chambre de Mission Inn, j'étais tout endolori, allongé sur l'édredon froissé, dans mes vêtements chiffonnés et humides. Il faisait froid dans la pièce.

Le cauchemar collait encore à moi avec les changements incohérents, les visages déformés, les décors absurdes et incomplets qui en étaient les signes caractéristiques, si éloignés de la clarté suprême de l'Heure de l'Ange.

Je tentai d'entendre de nouveau les anges qui chantaient, mais je n'en percevais que de faibles échos, et un fragment du cauchemar les couvrit.

Ankanoc s'était querellé avec moi à propos du suicide de Lodovico.

« Selon tes croyances, avait-il répété, cette pauvre âme est destinée à un enfer flamboyant. Mais un tel endroit n'existe pas. Son âme se réincarnera et il devra apprendre ce qu'il n'a pas réussi la première fois. (J'avais vu l'enfer flamboyant. J'avais entendu les cris des damnés. Ankanoc continuait de rire.) Tu crois que je suis un diable ? Pourquoi voudrais-je vivre dans un lieu pareil ? (Il eut un sourire moqueur, puis une expression fermée.) Tu crois avoir été visité par les anges du Seigneur ? Pourquoi tant de choses te tourmenteraient-elles à ce point ? Si ton dieu personnel t'avait pardonné, si tu t'étais en fait tourné vers lui, le saint-esprit ne t'aurait-il pas inondé de consolation et de lumière ? Non, tu ne sais rien des esprits célestes. Mais n'en sois pas effrayé. Bienvenue dans l'espèce humaine ! »

Je me redressai, baissai la tête et priai.

– Seigneur, délivre-moi du doute.

La tête me tournait, j'avais soif. L'impression d'avoir échoué, d'avoir laissé Lodovico glisser dans la mort m'envahit avec autant de force qu'à Rome. Et j'étais furieux, furieux qu'Ankanoc m'ait suivi dans mon monde, dans mes rêves, dans mes pensées.

Si ton dieu personnel t'avait pardonné, si tu t'étais en fait tourné vers lui, le saint-esprit ne t'aurait-il pas inondé de consolation et de lumière ?

– C'est terminé, à présent, dit Shemariah.

Sa voix était calme et détendue, sonore mais juvénile, et il était vêtu comme moi d'une chemise bleue et d'un pantalon de toile. Il m'aida à me lever. J'allai à la fenêtre et consultai ma montre. Il était 2 heures du matin. Seuls les lampadaires de la rue apportaient un peu de lumière. Des souvenirs de mon séjour à Rome revenaient en masse et s'insinuaient dans les fragments du cauchemar.

– Que ce rêve s'en aille, je t'en prie…, murmurai-je.

À ma grande surprise, je sentis la main de Shemariah sur mon épaule. Nous étions côte à côte. *J'ai échoué avec Lodovico. Il m'a échappé.*

– Cesse de lutter, dit-il en plongeant en moi son regard innocent. L'âme de cet homme ne repose pas entre tes mains.

– Le Créateur doit forcément savoir toute chose, répondis-je d'une voix brisée. (J'entendis Ankanoc rire, mais c'était un souvenir. C'est Shemariah qui se trouvait là, auprès de moi.) Et le Créateur est le seul à pouvoir juger. (Il hocha la tête.) Où est le patron ? demandai-je, parlant de Malchiah.

– Il va bientôt arriver. Tu dois te débrouiller seul pour le moment.

– Pourquoi ai-je l'impression que tu ne l'aimes pas ?

– Je l'aime, dit-il sans s'émouvoir. Tu le sais. Mais lui et moi ne sommes pas toujours d'accord. Après tout, je suis ton ange gardien. Ma mission est simple. Je suis chargé de toi.

– Et Malchiah ?

– Là aussi, tu connais la réponse à ta question. C'est un séraphin. Il est envoyé pour répondre aux prières des masses. Il sait des choses que je ne peux savoir. Il fait des choses qu'on ne m'envoie pas faire.

– Mais je croyais que vous aviez tous la connaissance de tout, dis-je. (Je me rendis aussitôt compte que c'était stupide.) Alors tu ne peux pas me dire, n'est-ce pas, si Lodovico est allé en enfer ? insistai-je.

Il secoua la tête. Je fermai les rideaux et allai allumer la lampe de chevet. Il était extrêmement réconfortant de le voir si nettement dans la lumière – aussi réel que le reste de la chambre. Je voulus le toucher mais n'en fis rien, puis je me rappelai qu'il venait de le faire.

J'étais incapable de lire quoi que ce fût dans ses yeux bleus qui me scrutaient, ni sur son visage calme. Il haussa légèrement les sourcils puis chuchota :

– Aie confiance dans le Créateur. Ce que tu penses ou ce que je pense ne suffit pas à envoyer un homme en enfer.

– Tu sais pourquoi je suis en colère ? (Il acquiesça.) Parce que, avant de voir un homme se supprimer, je ne croyais pas à l'enfer. Je ne croyais ni au Diable ni aux démons, et quand je suis venu à Dieu ce n'était pas par crainte de l'enfer. (Il hocha la tête.) Et, à présent, il y a Ankanoc et il y a l'enfer.

Il resta pensif puis haussa les épaules.

– Tu as entendu les voix du mal par le passé, dit-il. Tu as toujours su ce qu'est le mal. Tu ne t'es jamais menti.

– Oui, mais je pensais que les voix étaient en moi. Je croyais que tout le mal que je voyais venait des hommes, que les diables et l'enfer étaient de vieilles légendes. Je me suis senti devenir mauvais quand j'ai tué ma première victime. Je me suis senti le devenir de plus en plus à mesure que j'en tuais d'autres. Je pouvais vivre avec un mal qui était en moi, peut-être parce que j'avais la possibilité de me repentir. Mais à présent il y a Ankanoc, un *dybbuk*, et je ne veux pas croire à ce genre de choses.

– Cela change-t-il vraiment beaucoup la situation ?

– Tu ne penses pas que cela le devrait ?

– Comment mesurons-nous le mal ? Par ce qu'il fait, n'est-ce pas ? (Il marqua une pause.) Rien n'a changé. Tu as renoncé à la vie de Lucky le Renard, c'est ce qui importe. Tu es un Enfant des Anges. Une philosophie du mal ne modifie pas cet état de fait.

J'acquiesçai. Mais je ne trouvais pas cela très réconfortant, si vrai que ce fût. J'étais de plus en plus étourdi et je brûlais de soif.

J'allai au réfrigérateur dans le petit coin cuisine, pris une bouteille de soda glacé et la bus en quelques gorgées. Ce pur plaisir m'apaisa et j'eus un peu honte. *Les pensées abstraites conduisent si facilement à des réconforts matériels*, me dis-je.

– Ne vous arrive-t-il pas de nous haïr, parfois ? lui demandai-je.

– Jamais. Et, une fois de plus, tu sais que non.

– Essaies-tu de me convaincre de poser de vraies questions, au lieu de questions théoriques ?

Il éclata d'un rire qui me fut agréable à entendre. La caféine du soda me montait à la tête. J'allai vers les fenêtres et fermai les rideaux les uns après les autres, en allumant les lampes au fur et à mesure sur le bureau et près du lit. La chambre me paraissait un peu plus sûre, à présent, sans raison véritable. Puis j'allumai le chauffage.

– Tu ne m'abandonneras pas, n'est-ce pas ?

– Jamais je ne t'abandonnerai.

Les bras croisés, il était appuyé contre le mur entre les fenêtres et me regardait. Ses cheveux étaient blond roux, et ses sourcils d'un or plus clair, mais assez sombre pour lui donner du caractère. Il portait les mêmes chaussures que moi, mais il n'avait pas de montre.

– Je veux dire, tu ne deviendras pas invisible ? dis-je. Tu resteras ici le temps que je prenne une douche et que je me change ?

– Tu as des choses à faire, répondit-il. Si je te distrais, je devrai partir.

– Je ne peux pas appeler Liona à cette heure. Elle doit dormir.

– Qu'as-tu fait la dernière fois que tu es revenu ?

– J'ai étudié. J'ai consigné tout ce qui s'était passé. Je me suis renseigné sur l'Histoire, pour en savoir plus sur ce que j'avais entrevu. Mais tu sais que le patron ne me laissera jamais montrer à quiconque ce que j'ai écrit. Mon petit rêve d'écrivain, de publier un livre, s'est envolé.

Je songeai combien je m'étais vanté auprès de mon ancien patron, l'Homme Juste, que j'écrirais le récit de cette « grande chose » qui m'était arrivée et du changement qui avait bouleversé ma vie. Je lui avais dit de garder un œil sur les librairies, qu'un jour il verrait mon nom sur la couverture d'un livre. Comme cela me paraissait stupide et présomptueux, à présent. Je me rappelai aussi que je lui avais dit mon vrai nom, et maintenant je le regrettais. Pourquoi avait-il fallu que je lui dise que son assassin si digne de confiance, Lucky le Renard, se nommait en réalité Toby O'Dare ?

Des images de Liona et Toby surgirent dans mon esprit.

Les affreuses paroles d'Ankanoc me revinrent. *Le saint-esprit ne t'aurait-il pas inondé de consolation et de lumière ?*

Eh bien, j'avais été rempli de consolation et de lumière quand j'avais dit ces mots à l'Homme Juste, et à présent j'étais déconcerté. Cela ne me gênait pas tellement de ne jamais révéler ce que je faisais pour Malchiah. Un Enfant des Anges devait garder le secret sur ses activités si on le lui demandait, tout comme j'avais dû le faire quand j'étais le tueur à gages de l'Homme Juste. Comment pouvais-je donner aux anges moins que ce que j'avais accordé à l'Homme Juste ? Mais ce n'était pas tout : il y avait aussi l'irritation et la confusion que j'éprouvais. Ce n'était pas bouleversant, mais douloureux, comme si l'on m'administrait des décharges électriques infimes.

Je bus une autre bouteille de soda, savourant le liquide glacé, alors que j'avais toujours aussi froid. Je m'assis au bureau.

– D'accord, tu ne détestes pas les êtres humains, bien évidemment, dis-je. Mais nous devons certainement t'impatienter avec notre constant désir d'une solution simple.

Il sourit comme si ma formulation lui plaisait.

– À quoi cela servirait-il d'être impatient ? demanda-t-il doucement. En fait, à quoi cela sert-il que tu t'interroges sur mes pensées et mes émotions ?

Il haussa les épaules.

– Je ne comprends pas comment et quand tu interviens ou pas.

– Ah, voici une vraie question ! Et je peux te donner une règle, répondit-il calmement. (Sa voix était aussi douce que celle de Malchiah mais paraissait plus jeune, comme celle d'un petit garçon qui aurait parlé avec retenue.) Ton libre arbitre est la seule chose qui compte, expliqua-t-il, et jamais nous n'y ferons obstacle. Aussi, ce que nous disons ou faisons, ou comment nous apparaissons, est toujours soumis à cet impératif : que tu conserves ton libre arbitre.

J'acquiesçai et terminai mon soda. J'avais l'impression d'être une éponge.

– Très bien, dis-je, mais Malchiah m'a montré toute ma vie.

– Il t'a montré ton passé, corrigea-t-il. Ce qui te préoccupe désormais, c'est l'avenir. Tu me parles, mais tu penses à une multitude de choses qui toutes ont trait à l'avenir. Tu te demandes quand et comment tu pourrais revoir Liona, et ce qui se passera quand tu le feras. Tu penses à ce que tu dois faire en ce monde pour effacer toutes les traces de ton détestable passé en tant que Lucky le Renard. Tu ne veux pas que tes anciennes actions causent du tort à Liona et à Toby. Et tu te demandes pourquoi ta dernière mission pour Malchiah était si différente de la première, et de quoi sera faite la suivante.

Tout cela était parfaitement exact. Toutes ces questions occupaient mon esprit fébrile.

– Par quoi dois-je commencer ? demandai-je.

Mais je le savais.

J'allai dans la salle de bains et pris la plus longue douche de ma vie. En effet, mon histoire personnelle occupait toutes mes pensées. Liona et Toby. Qu'est-ce que leur présence dans ma vie exigeait que je fasse désormais ? Il ne s'agissait pas de coups de téléphone, de prendre de leurs nouvelles ou de leur rendre visite. Il était question de ce que je devais faire concernant mon odieux passé. Que devait faire Lucky le Renard à cet égard ?

Je me rasai et enfilai une chemise bleue propre et un jean. Malicieusement, je me demandai si mon ange gardien aurait changé de vêtements parce que je venais de le faire.

Il n'en était rien. En sortant, je le trouvai assis dans le grand fauteuil près de la cheminée, le regard fixé sur l'âtre vide.

– Tu as raison, lui dis-je, comme s'il n'y avait pas eu d'interruption dans notre conversation. Je veux connaître toutes les réponses concernant l’avenir, mon avenir. Même si vous n’êtes pas venus pour me faciliter les choses.

– Eh bien, dans un sens, c’est pour cela que nous venons, et dans un autre ce n’est pas pour cela. Mais tu as des choses à faire et tu dois les faire. Agis de la manière qui t’a profité le mieux jusqu’ici. (Ses sourcils se fronçaient légèrement et ses yeux me suivaient constamment, comme si, alors qu’il me regardait, il contemplait un immense ensemble de détails et de mouvements que je ne pouvais appréhender.) Tu passes trop de temps à scruter nos visages, dit-il. Tu ne seras jamais capable de nous déchiffrer. Nous ne pourrions pas t’expliquer comment nous raisonnons, même si nous le voulions.

– Vos expressions faciales peuvent-elles être insincères ou trompeuses ? demandai-je.

– Non, répondit-il avec un sourire calme.

– Cela vous plaît-il d’être visibles pour moi ?

– Oui. Nous aimons l’univers physique. Cela a toujours été. Nous aimons notre matérialité. Nous trouvons cela intéressant.

J’étais fasciné.

– Cela te plaît-il de me parler pour pouvoir entendre ta propre voix ?

– Oui, cela me plaît beaucoup.

– Tu as dû passer dix années affreuses quand j’étais un tueur.

Il éclata d’un rire silencieux, levant les yeux au ciel, puis il me regarda.

– Cela n'a pas été ma meilleure période, dit-il. Je dois l'admettre.

J'acquiesçai comme si je venais de le surprendre en flagrant délit d'aveu, alors que je ne l'avais aucunement surpris.

Je retournai dans le coin cuisine me faire du café. Finalement, quand j'eus préparé ma première tasse comme je la voulais, je me retournai vers lui en buvant une gorgée, savourant sa chaleur comme j'avais savouré la fraîcheur du soda.

– Pourquoi Ankanoc m'a-t-il mis à l'épreuve ? demandai-je. Pourquoi a-t-il eu la possibilité de me mener par le bout du nez à Rome ?

– C'est à moi que tu demandes cela ? Des anges spéciaux sont envoyés aux humains qui ont une destinée spéciale. Et des démons particuliers s'en prennent à ces mêmes individus d'une manière particulière.

– Ce n'est donc pas fini. Il ne renoncera pas. (Il resta pensif et me fit comprendre qu'il ne pouvait répondre – d'un petit geste des mains accompagné d'un léger haussement de sourcils.) Il a choisi le raisonnement pour m'attaquer, d'anciens arguments et théories que j'avais lus. Il s'est lancé dans la philosophie new age, le témoignage de ceux qui ont voyagé hors de leur corps, qui prétendent avoir eu des expériences de mort imminente. Mais il a tout mélangé. Le fait est qu'il a attaqué ma foi par le biais de la raison.

Shemariah se perdit de nouveau dans ses pensées. Il faisait à peu près mon âge, pensai-je. Et puis il avait choisi d'apparaître avec des cheveux blond roux. En outre, sa silhouette semblait un peu plus robuste que celle de Malchiah. Il devait bien y avoir une raison à ces détails, mais laquelle ? Il y avait sans doute des règles pour tout cela, un ensemble de règles, peut-être trop compliqué pour que je puisse le comprendre.

Soudain, Shemariah reprit la parole et me ramena à notre conversation.

– Il y a une vieille légende sur un saint qui a dit un jour : « Même quand le prince des ténèbres prend la forme d'un ange de lumière, tu le reconnaîtras à sa queue de serpent. »

– Je connais cette légende, répondis-je en riant. J'ai connu ce saint. Mais Ankanoc n'avait pas de queue de serpent.

– Il s'est tout de même trahi. Tu l'as percé à jour très vite à cause de sa manière de parler, de ses remarques désobligeantes sur les êtres humains.

– C'est vrai. Et aussi parce qu'il s'est servi des théories new age sur la vie et la mort et sur la raison de notre présence en ce monde. Cela me fascine que ces points de vue soient avancés par tout un ensemble de penseurs, que certains schémas de pensée apparaissent partout dans le monde chez des théoriciens d'avant-garde. Mais Ankanoc les utilisait comme un dogme qu'il a tenté de m'inculquer de force.

– N'oublie jamais cela, dit-il. Quoi qu'il fasse ou dise, il se trahira à chaque fois. Les démons sont trop pleins de haine et de colère pour être habiles. Ne les surestime pas. Ce serait aussi grave que de les sous-estimer. Et comme il te répondra si tu l'appelles par son nom, il y a peu de chances qu'il tente à nouveau de se déguiser.

– Donc, les démons ne sont pas aussi rusés que les anges ?

– Peut-être qu'ils le pourraient, mais leur état d'esprit compromet leur intelligence. Il fait obstacle à leurs observations et à leurs conclusions. À tout ce qu'ils font. Ils sont dans une situation bien déplaisante. Il refusent d'admettre qu'ils ont perdu.

C'était magnifique. Cela me plut. J'appréciai l'énigme et sa vérité.

– Tu le connais personnellement ? demandai-je.

– Personnellement ? (Il éclata de rire.) Personnellement ! Toby, tu es un jeune homme fascinant. Non, je ne le connais pas personnellement. Je crois qu'il ne daignerait même pas s'apercevoir de ma présence. Il estime que je suis quantité négligeable, rien de plus qu'un ange gardien. Mais Malchiah le met hors de lui.

– Donc, après le travail, quand je dors, par exemple, toi et Ankanoc, vous ne pouvez pas aller prendre un verre ensemble dans l'Heure de l'Ange.

– Non, répondit-il en riant. Et mon travail ne se termine pas quand tu dors, cela dit. Tu dois t'en douter !

– Tu étais avec moi, à Rome ?

– Oui, bien sûr. Je suis toujours avec toi. Je suis ton ange gardien, je te l'ai dit. Je suis avec toi depuis le jour de ta naissance.

– Mais à Rome, tu ne pouvais pas m'apparaître, m'aider ?

– À ton avis ?

– Oh, ne recommence pas. Vous autres anges, vous avez le don de répondre aux questions par des questions.

– Mais à présent nous savons tous les deux pourquoi tu es si troublé. Tu es en colère parce que je ne suis pas venu t'aider. Mais Malchiah est venu, n'est-ce pas ?

– À la fin, oui. Quand tout était terminé. Mais vous n'auriez pas pu, l'un ou l'autre, me faire comprendre que cette créature se donnait beaucoup de mal pour me dévoyer ? (Il haussa les épaules.) Tu es obligé de te plier aux volontés de Malchiah.

– C'est une manière de voir les choses. Malchiah est un séraphin. Pas moi.

– Pourquoi es-tu ici, en ce moment ?

– Parce que tu as besoin de moi. Tu es agité et tu ne sais pas encore ce que tu vas faire. Du moins est-ce en partie la raison. Mais je crois qu'il est temps que tu fasses ce que tu as fait après ta dernière mission. Je devrais peut-être te laisser, dans ce cas.

– J'aimerais que tu sois toujours visible.

– Tu as la mémoire courte. Je ne suis pas là pour me mêler de ta vie d'homme.

– Il arrive que les Enfants des Anges se sentent seuls ?

– Tu te sens seul, n'est-ce pas ? Combien d'anges penses-tu qu'il faudrait pour combler le désir humain ?

Nous sommes ici parce que tu es humain. Et tu le resteras jusqu'à ton dernier jour.

– Si seulement je savais de quoi tu as vraiment l'air !

L'atmosphère autour de moi changea subitement. C'était comme si une force avait secoué toute la pièce, tout l'immeuble, peut-être, en tout cas, tout mon point de vue.

Le contenu de la chambre s'effaça. La pesanteur disparut. Je n'étais nulle part. Un bruit immense emplissait mes oreilles, comme l'écho d'un énorme gong, et en même temps une lumière blanche infinie envahit mon champ de vision, percée de grandes giclées d'or. Je ne voyais que cette explosion de lumière. J'y discernais un cœur, un centre vibrant et palpitant d'où émanaient ces immenses gerbes d'or, et puis brusquement ce fut au-delà de ce que je pouvais exprimer. Je cherchai en moi des concepts pour le saisir, pour le décrire, mais ce fut impossible. Il y eut un mouvement, un extraordinaire mouvement, comme des tourbillons ou des éruptions. Mais les mots n'étaient rien en comparaison de ce que je voyais. J'éprouvai une puissante impression de révélation. Je m'entendis m'écrier : « Oui !», mais ce fut terminé avant même d'avoir commencé. La lumière définissait un espace trop vaste pour que j'en saisisse les limites, et pourtant je le voyais, j'en distinguais les confins. Le bruit était devenu perçant, suraigu. La lumière se contracta et disparut.

Je gisais sur le sol, les yeux fixés sur la coupole au-dessus de moi. Je fermai les yeux. Ce que je parvins à reproduire mentalement n'était rien, rien à côté de ce que je venais de voir et d'entendre.

– Pardonne-moi, murmurai-je. J'aurais dû le savoir.

14

Avant tout, je m'installai à mon ordinateur pour chercher des renseignements sur l'époque où j'avais été envoyé à Rome. Je ne fus pas surpris de ne trouver nulle part les noms de ceux que j'avais croisés. Mais l'horrible drame dont avait été victime le fils de Giovanni à Florence figurait en de nombreux endroits. Aucun nom n'était donné, ni celui de l'homme accusé de blasphème ni celui de sa famille. Mais c'était sans conteste le même événement, et je revis le vieux Giovanni qui me fixait dans la synagogue lorsque j'avais cessé de jouer du luth.

Je ne doutai pas que ma mission m'eût amené parmi des personnes réelles. Je poursuivis donc mes lectures sur cette époque.

J'appris rapidement ce que je n'aurais jamais dû oublier : Rome avait été mise à sac en 1527 par des armées étrangères et des milliers d'habitants y avaient laissé la vie. Selon certains auteurs, toute la communauté juive avait été anéantie. Cela signifiait que presque tous ceux que j'avais connus à Rome étaient sans doute morts neuf ans après ma visite. Je remerciai Dieu de ne pas l'avoir su sur le moment. Mais, surtout, je compris en un instant ce qui m'avait échappé durant toute mon égoïste vie : qu'il importe pour nous en ce monde de ne pas savoir avec certitude ce que l'avenir réserve. Il ne pouvait y avoir de présent si l'avenir était connu.

Intellectuellement, je le savais sans doute depuis mes douze ans. Mais cela me frappa avec une force mystique. Et cela me rappela que j'avais, avec Malchiah et Shemariah, affaire à des créatures qui en savaient bien plus sur l'avenir que je ne désirais en connaître. Leur en vouloir parce qu'ils vivaient avec ce fardeau n'avait aucun sens.

Il restait beaucoup de sujets sur lesquels je voulais réfléchir.

Au lieu de cela, je tapai un compte rendu concis et bref de tout ce qui s'était passé depuis mon dernier « rapport ». Je consignai non seulement mon aventure à Rome, mais aussi la visite de Liona et Toby.

Je me rendis compte en terminant que ma deuxième mission avait été différente de la première pour des raisons très nettes. Dans la première, j'avais été envoyé faire quelque chose d'assez simple : sauver une famille et une communauté d'une accusation injuste. J'avais résolu le problème qui m'était soumis en usant d'un stratagème, mais pas un instant je n'avais douté de la voie à suivre.

Peut-être les anges ne pouvaient-ils encourager le mensonge comme je l'avais fait dans l'Heure de l'Ange, mais ils m'avaient laissé faire et il me semblait savoir pourquoi.

En ce monde, beaucoup avaient menti pour échapper au mal et à l'injustice. Qui n'aurait pas menti pour sauver des juifs à notre époque lors du génocide perpétré par le Troisième Reich ?

Mais ma deuxième mission présentait une situation différente. J'avais cherché à utiliser la vérité pour résoudre le problème qui m'était posé, et j'avais trouvé cela vraiment très difficile et très complexe.

Était-il donc raisonnable d'estimer que mes missions allaient être chaque fois plus compliquées ? Je commençais seulement à y songer quand je m'interrompis.

Il était midi. Cela faisait dix heures que j'étais debout et je n'avais fait qu'écrire, ou presque. Je n'avais rien mangé. Je risquais de commencer à voir des anges qui n'étaient pas là.

J'enfilai ma veste et descendis au restaurant de Mission Inn, où je me retrouvai à réfléchir de nouveau une fois ma table débarrassée. Je buvais ma dernière tasse de café quand je remarquai à une autre table un jeune homme qui m'observait, mais il fit semblant de lire son journal lorsque je levai les yeux vers lui.

Je le fixai à loisir pendant un bon moment. Il n'avait l'air ni d'un ange ni d'un *dybbuk*, mais simplement d'un homme. Il était plus jeune que moi, et tandis que je l'observais il leva les yeux à plusieurs reprises avant de finalement quitter sa table.

Je ne fus pas surpris de le retrouver dans le hall, assis dans l'un des vastes fauteuils, les yeux tournés vers l'entrée du restaurant.

Je mémorisai son apparence : il était jeune, environ quatre ou cinq ans de moins que moi. Il avait des cheveux bruns ondulés et des yeux bleus. Il portait des lunettes à monture noire. Et il était vêtu, d'une manière un peu recherchée, d'une veste ajustée en velours brun côtelé, d'un col roulé blanc et d'un pantalon gris. Il y avait dans son expression quelque chose de vulnérable, une nervosité incompatible avec tout danger ; mais cela ne me plaisait pas qu'on me suive et je me demandais qui était cet homme.

Si c'était un autre ange sur l'affaire, il fallait que je le sache. Et si c'était un autre diable, il n'avait pas la présence ni l'assurance d'Ankanoc, et je ne comprenais pas sa stratégie.

La question du danger n'était pas à prendre à la légère. Lucky le Renard avait toujours été aux aguets quant à quiconque pouvait le surveiller, qu'il soit envoyé par ses ennemis ou par son patron.

Mais cet homme ne semblait vraiment pas dangereux. Ni un policier ni un agent de l'Homme Juste ne m'auraient observé de manière aussi évidente. Un autre tueur ne se serait jamais laissé voir. En tout cas, l'incident me fit prendre conscience que je me sentais parfaitement en sécurité, même si j'avais encore quelques inquiétudes à l'idée d'avoir dévoilé ma véritable identité à l'Homme Juste.

J'oubliai tout cela et gagnai un endroit calme sur le patio, où le soleil était agréablement chaud et la brise fraîche, puis j'appelai Liona.

Le son de sa voix me fit monter les larmes aux yeux. Et, tout en parlant, je me rendis compte que cela faisait déjà cinq jours qu'elle et Toby étaient rentrés chez eux.

– Crois-moi, dis-je, je voulais t'appeler avant. J'y pensais depuis votre départ. J'ai envie de te revoir, et au plus vite.

Elle aussi en avait envie, répondit-elle. Il suffisait que je lui dise où et quand. Elle m'informa qu'elle était allée montrer à son avocat les document que je lui avais donnés. Son père était heureux que j'aie ainsi pris mes responsabilités envers mon fils.

– Mais, Toby, quelque chose me tracasse, expliqua-t-elle. Tes cousins savent-ils que tu es en vie ?

– Non, ils l'ignorent, avouai-je. Et si je retourne là-bas, je pense que je devrai aller les voir. Tu as l'air inquiète. De quoi s'agit-il ?

– C'est quelque chose que je ne t'ai pas dit, mais je crois que tu devrais le savoir. Il y a trois ans, quand tu as été déclaré...

– Légalement décédé ? soufflai-je.

– Oui… Ton cousin Matt a sorti toutes tes vieilles affaires du garde-meubles et il est venu nous donner certains de tes livres. Je lui ai dit que Toby était ton fils.

– C'est bien, Liona, j'en suis heureux. Cela ne me gêne pas que Matt soit au courant. Je ne peux pas t'en vouloir de le lui avoir dit.

– Ce n'est pas tout. Tu connais mon père, tu sais qu'il est avant tout médecin.

– Oui ?

– Il a demandé à Matt l'autorisation de procéder à des analyses d'ADN sur les échantillons prélevés dans l'appartement de ta mère. Il a dit qu'il voulait vérifier s'il y avait le moindre problème médical dans la famille que Toby risquerait...

– Je comprends. (J'étais glacé. Je m'efforçai de garder mon calme.) C'est très bien, c'est tout à fait raisonnable, mentis-je. Matt a accepté et ton père a analysé l'ADN de ma famille et celui du petit Toby. (Cela signifiait qu'il existait un dossier ADN de Lucky le Renard. Mon cœur s'emballa.) Ne me dis pas qu'il y a un problème de maladie congénitale...

– Non, je voulais juste que tu saches. Nous te croyions mort, Toby.

– Ne t'inquiète pas, Liona, tout va bien. Et je suis content que vous ayez fait cela. Ton père a ainsi la certitude que Toby est bien mon fils.

– Oui, c'était aussi pour cela, avoua-t-elle. Il a la preuve de la paternité, comme on dit, et cela suffit.

– Écoute, mon amour, j'ai du travail. Je dois parler à mon employeur. Dès que je connaîtrai mon emploi du temps, je te rappellerai. Tu as le numéro de mon portable, tu peux m'appeler quand tu veux.

– Oh, je ne vais pas te déranger, Toby.

– Si je ne décroche pas, cela veut dire que je suis occupé.

– Toby ?

– Oui ?

– Je voudrais te dire quelque chose, mais je ne veux pas que cela t'effraie.

– Bien sûr. Quoi donc ?

– Je t'aime.

Je laissai échapper un long soupir.

– Si tu savais comme je suis heureux de l'entendre, murmurai-je. Parce que mon cœur est entre tes mains.

Et je raccrochai.

J'étais comblé mais aussi désemparé. Elle m'aimait. Et je l'aimais. Puis d'autres sombres vérités m'apparurent, plus vite que je ne pouvais les reconnaître ou les nommer. Aucun de ceux qui étaient sur les traces de Lucky le Renard n'avait jamais pu recueillir le moindre échantillon d'ADN, mais à présent Lucky le Renard et Toby O'Dare étaient connus comme la même personne par l'Homme Juste, et un échantillon de l'ADN de la famille de Toby O'Dare se trouvait dans un dossier à La Nouvelle-Orléans. Et j'avais imprudemment dit à l'Homme Juste que j'étais originaire de là-bas.

« Tu as des choses à faire », m'avait prévenu Shemariah, et il avait raison. Je ne pouvais rien faire concernant cet ADN et peut-être cela n'avait-il pas d'importance, étant donné la manière dont mes différents contrats avaient été exécutés, mais il y avait d'autres choses à régler sans attendre.

Je rendis ma chambre et partis pour Los Angeles.

Mon appartement était tel que je l'avais laissé, les portes grandes ouvertes sur le patio, et les fleurs de jacaranda jonchaient toujours la rue calme, en bas.

J'enfilai de vieux vêtements et me rendis au parking où étaient garées mes voitures, avec mes déguisements et mon matériel, depuis deux ou trois ans. En deux heures, ayant soigneusement revêtu une combinaison et des gants, je détruisis tout.

Je n'avais jamais fabriqué mes poisons avec ce que l'on appelle des « substances illégales ». Tous les mélanges mortels concoctés par mes soins l'étaient à partir de produits, fleurs ou herbes disponibles partout sans ordonnance. J'utilisais des seringues hypodermiques que n'importe quel diabétique peut acheter sans difficulté. Cependant, le matériel réuni dans ce parking constituait une sorte de preuve, et je me sentis beaucoup mieux quand le dernier flacon eut été vidé et le dernier paquet brûlé. J'évacuai les cendres dans le tout-à-l'égout puis je le rinçai abondamment.

Je nettoyai très soigneusement les véhicules puis je les conduisis dans des endroits différents de la ville où je les abandonnai, la clé sur le contact. Aucun papier n'étant à mon nom, aucune crainte de ce côté-là. Je parcourus six rues après avoir abandonné le dernier véhicule, me disant que tous avaient peut-être déjà été volés, et pris un taxi pour retourner au parking.

Mon box était maintenant vide. Je laissai les portes ouvertes.

Dans quelques heures, des sans-abri viendraient ici pour fouiner ou trouver asile. Leurs affaires, leurs empreintes et leur ADN seraient partout… et c'était exactement ce sur quoi je comptais, comme je l'avais toujours fait naguère avec chaque box utilisé par Lucky le Renard.

Je rentrai chez moi l'esprit un peu apaisé, en me disant que Liona et Toby étaient désormais en sécurité. Je ne pouvais en être absolument certain, cependant. Mais je faisais mon possible pour que Lucky le Renard ne leur cause pas de tort.

L'angoisse que j'éprouvais était immense et inévitable. Je me rendis compte que, quoi que j'aie pu faire avec Malchiah et Shemariah, je devenais Toby O'Dare pour le monde entier – et Toby O'Dare n'avait jamais vraiment existé jusqu'ici comme à présent. Je me sentais nu et vulnérable, et cela ne me plaisait pas.

Cette nuit-là, je pris un avion pour New York.

Et, le lendemain, je fis la même chose dans le box que je possédais là-bas. Cela faisait presque un an que je n'y étais pas allé, et il m'était désagréable d'y retourner. New York recelait trop de souvenirs bouleversants pour moi et je m'y sentais particulièrement exposé en cet instant. Mais je savais que je devais le faire. J'abandonnai les véhicules dans des endroits où ils seraient très certainement volés et laissai le box dans le même état que l'autre, ouvert à tous les vents.

Avant de quitter New York, il y avait autre chose que je voulais absolument faire. Je réfléchis longuement avant de mettre mon projet à exécution. Je passai la soirée et la journée du lendemain à échafauder cela. J'étais très heureux de ne voir aucun ange à côté de moi. Je compris pourquoi. Et les conditions de ma nouvelle existence commencèrent à me paraître un peu plus claires.

L'après-midi venu, je quittai mon hôtel et me mis en quête d'une église catholique.

Je dus marcher des heures avant de trouver une église qui me donne l'impression d'être ce que je cherchais ; il s'agissait bien d'une impression, car je n'avais pas réfléchi à la question. Je savais seulement que j'étais quelque part en ville quand je sonnai au presbytère et annonçai à la femme qui m'ouvrit que je voulais me confesser. Elle baissa les yeux vers mes mains. Il faisait chaud et je portais des gants.

– Pouvez-vous faire appeler le plus vieux prêtre de l'église ? demandai-je.

Je ne fus pas sûr qu'elle comprit ma requête. Elle me fit entrer dans un salon chichement meublé d'une table et de quelques chaises. Une petite fenêtre aux rideaux poussiéreux donnait sur une cour goudronnée. Un grand crucifix était accroché au mur. Je m'assis et priai.

Je patientai une demi-heure avant qu'un prêtre très âgé fasse son entrée. Si l'on m'avait envoyé un jeune prêtre, j'aurais probablement laissé un don avant de partir sans un mot. Mais celui-ci était très vieux, un peu ratatiné, avec une très grosse tête carrée et des lunettes à monture d'acier qu'il ôta et déposa sur la table.

Il sortit l'étole violette de circonstance, le long ruban de soie requis pour écouter une confession, et le passa autour de son cou. Il avait une épaisse tignasse grise et hirsute. Il s'assit sur l'une des chaises et ferma les yeux.

– Bénissez-moi, mon père, car j'ai péché, commençai-je. Cela fait dix ans que je ne me suis pas confessé et je me suis tenu trop éloigné du Seigneur. J'ai commis de terribles péchés, plus nombreux que je ne saurais dire. (Il resta impassible.) J'ai supprimé volontairement des vies, continuai-je. Je me disais que je tuais des hommes qui étaient mauvais, mais en fait je prenais la vie de personnes innocentes, surtout au début, et je ne pourrais dire combien il y en a eu. Après ces premiers et terribles crimes, je suis allé travailler pour une agence comme tueur à gages et j'ai obéi aux ordres sans poser de questions, tuant en moyenne trois personnes par an pendant dix ans. Cette agence prétendait être les « gentils ». Et je pense que vous comprendrez pourquoi je ne peux vous en dire plus sur la question. Je ne peux vous dévoiler qui étaient ces gens, ni pour qui je travaillais précisément. Je peux seulement vous dire que j'ai de la peine pour eux et que j'ai fait le vœu de ne plus supprimer la moindre vie. Je me suis repenti de tout mon cœur. J'ai un directeur de conscience qui sait absolument tout de ce que j'ai fait et qui m'indique comment faire réparation. Je suis convaincu que Dieu m'a pardonné, mais je suis venu chercher l'absolution auprès de vous.

– Pourquoi ? demanda-t-il d'une voix profonde, sans bouger ni ouvrir les yeux.

– Parce que je veux retourner à la communion, dis-je. Je veux être dans mon église avec d'autres qui croient en Dieu comme moi, et je veux revenir à la table du banquet du Seigneur.

Il ne broncha pas.

– Ce directeur de conscience, demanda-t-il, pourquoi ne vous donne-t-il pas l'absolution ?

Il avait prononcé ce dernier mot avec force, et sa voix avait comme grondé dans sa poitrine.

– Ce n'est pas un prêtre catholique. C'est un individu au jugement infaillible et hautement recommandable, et ses conseils ont guidé mon repentir. Mais je suis un catholique, et c'est pourquoi je suis venu à vous.

Je continuai en expliquant que j'avais commis d'autres péchés, de chair et de cupidité, ainsi que de simple malveillance. Je fis la liste de tout ce qui me venait à l'esprit. Bien sûr que j'avais manqué la messe du dimanche, ainsi que les fêtes, telles que Pâques ou Noël. J'avais toujours vécu loin de Dieu. Je poursuivis ainsi. Je lui déclarai que mes premiers errements m'avaient conduit à avoir un enfant, que j'étais entré en contact avec lui et que tout l'argent que j'avais gagné dans mes anciennes activités était mis de côté pour lui et pour sa mère. Je comptais garder assez pour vivre, mais je ne tuerais plus.

– Je vous supplie de m'accorder l'absolution, dis-je enfin.

Le silence s'abattit.

– Vous rendez-vous compte qu'un innocent pourrait être accusé des crimes que vous avez commis ? dit-il, la voix un peu tremblante.

– D'après ce que je sais, ce n'est jamais arrivé. En dehors des premiers meurtres, tous ceux qui ont suivi ont été commis sur ordre lors d'opérations sous couverture. Et pour ces premiers meurtres, à ma connaissance, personne n'a jamais été accusé.

– Si jamais quelqu'un en est accusé, vous devrez vous livrer, dit-il dans un soupir, sans ouvrir les yeux.

– Je le ferai.

– Et vous ne tuerez plus, même pour ces gens qui prétendent être les gentils, murmura-t-il.

– Jamais. Quoi qu'il arrive, je refuserai.

Il resta un moment silencieux.

– Le directeur de conscience…, commença-t-il.

– Je vous demande de ne pas me questionner sur son identité, pas plus que sur celle des personnes pour qui je travaillais. Je vous prie de me faire confiance, je dis la vérité. Je ne suis venu ici pour aucune autre raison.

Il resta pensif. Sa voix grave résonna de nouveau.

– Vous savez que mentir dans le confessionnal est sacrilège.

– Je n'ai rien omis. Je n'ai pas menti. Et je vous remercie de la compassion dont vous faites preuve en ne me demandant pas plus de détails. (Il ne répondit pas. Sa main déformée se posa lentement sur la table.) Mon père, dis-je, il est difficile pour un homme comme moi de se montrer responsable dans ce monde. Il m'est impossible de confier mon histoire à quiconque. Impossible de franchir le gouffre qui me sépare des êtres innocents qui n'ont jamais accompli les affreux crimes dont je suis coupable. Je me suis désormais consacré à Dieu. Je travaillerai pour Lui et Lui seul. Mais je suis un homme de ce monde et je veux aller dans mon Église en ce monde avec d'autres hommes et femmes, écouter avec eux la messe, prendre leur main pour dire nos prières au Seigneur sous Son toit. Je veux approcher la sainte communion avec eux et la recevoir avec eux. Je veux faire partie de mon Église dans le monde où je vis.

Il poussa un long soupir.

– Prononcez votre acte de contrition.

Une panique m'envahit soudain. C'était la seule chose que je n'avais pas mémorisée en détail. Je ne parvenais pas à me rappeler la prière dans son entier. Je vidai mon esprit de toute autre pensée que celle que j'adressai au Créateur.

– Oh, mon Dieu, je suis sincèrement désolé de T'avoir offensé et je méprise tous mes péchés, car ils m'ont séparé de Toi, et, bien que je redoute de perdre le Ciel et d'endurer les souffrances de l'enfer, je m'en veux de mes péchés à cause de cette séparation et du mal terrible que j'ai causé aux âmes de ceux dont j'ai brisé le voyage. Je sais que je ne pourrai jamais réparer le mal que j'ai commis quoi que je fasse. Je T'en prie, Seigneur bien-aimé, accepte mon repentir et accorde-moi la grâce de vivre avec lui jour après jour. Laisse-moi être Ton enfant. Permets-moi de consacrer les années qui me restent à Te servir.

Sans ouvrir les yeux, le prêtre leva la main et m'accorda l'absolution.

– Quelle est ma pénitence, mon père ? demandai-je.

– Faites ce que vous dira votre directeur de conscience.

Il rouvrit les yeux, ôta l'étole, la plia et la rangea. Il allait s'en aller sans même me jeter un regard.

Je sortis une enveloppe de ma poche. Elle était remplie de gros billets dont j'avais soigneusement ôté mes empreintes. Je la lui remis.

– C'est pour vous, ou pour l'église, pour faire des dons ou ce que vous voudrez.

– Ce n'est pas nécessaire, jeune homme, vous le savez, dit-il.

Il me jeta un bref regard de ses grands yeux embués.

– Je le sais, mon père. Je veux simplement faire un don.

Il prit l'enveloppe et quitta la pièce.

Je sortis, sentis la caresse apaisante de l'air chaud du printemps qui m'enveloppait, et retournai à pied à mon hôtel. La lumière était douce et j'éprouvais un amour infini pour tous ceux que je croisais. Même la cacophonie de la ville me réconfortait. Le grondement et les bruits de la circulation étaient comme le souffle d'un individu vivant sur la chaleur d'un cœur.

Parvenu à la cathédrale Saint-Patrick, j'entrai, m'assis sur un banc et attendis la messe du soir.

Ce vaste et magnifique lieu était toujours aussi réconfortant pour moi. J'y étais souvent venu avant et après l'époque où je travaillais pour l'Homme Juste. J'avais souvent contemplé l'autel au loin durant des heures, ou remonté les allées pour admirer les chapelles et les œuvres d'art. Pour moi, c'était l'essence même de l'église catholique, avec ses arches montant au ciel et sa grandeur insolente. J'étais douloureusement heureux de m'y trouver en cet instant.

Des fidèles arrivèrent juste au moment du crépuscule. Je me rapprochai de l'autel. Je voulais entendre et voir la messe. Au moment de la consécration du vin et du pain, je baissai la tête et pleurai. Peu m'importait qu'on me vît. Quand nous nous levâmes pour la prière au Seigneur, j'ôtai mes gants et pris les mains de mes voisins.

Quand j'allai recevoir la communion, je ne pus retenir mes larmes. Je ne sais si l'on me remarqua. J'étais seul comme je l'avais toujours été, à l'aise dans mon anonymat comme dans ce rituel. Et pourtant j'étais relié à tout ce qu'il y avait ici, je faisais partie de ce lieu et de ce moment, et c'était tout simplement merveilleux.

Il y eut un moment par la suite où je m'agenouillai sur le prie-Dieu, tête baissée, me demandant comment le monde, ce vrai et immense monde qui m'entourait, pouvait considérer ce que je faisais ici. Le monde moderne déteste tant les rituels !

Que signifiaient-ils pour moi ? Tout, parce que c'étaient les actes qui reflétaient mes sentiments et mes engagements les plus profonds.

J'avais été visité par des anges. J'avais suivi leurs conseils affectueux. C'était un miracle. Et cela, la Présence de Notre-Seigneur bien-aimé dans le pain et le vin, c'en était un autre. Et c'était ce miracle qui m'importait pour le moment.

Ce que le reste du monde pensait m'était égal. Je n'avais cure des points de théologie ou de logique. Oui, Dieu est partout. Oui, Dieu imprègne toute chose dans l'univers. Et Dieu est également ici. Dieu est ici, maintenant, en cette espèce, en moi. Ce rituel m'a amené à Dieu, et Dieu à moi. Je laissai cette notion dépasser les mots pour entrer dans une acceptation silencieuse.

Mon Dieu, je T'en prie, protège Liona et Toby de Lucky le Renard et de tout ce qu'il a fait. Permets-moi de vivre pour servir Malchiah, permets-moi de vivre pour Liona et mon fils.

Je dis encore de nombreuses prières. Pour ma famille ; pour chacune des âmes que j'avais précipitées dans l'éternité ; pour Lodovico ; pour l'Homme Juste ; pour les innombrables vies anonymes qui avaient été victimes de mes méfaits. Puis je me laissai aller à la Prière du silence en écoutant seulement la voix de Dieu.

La messe était terminée depuis une demi-heure. Je quittai le prie-Dieu en effectuant une génuflexion comme autrefois, puis je remontai la travée avec une merveilleuse sensation de paix et de bonheur sans mélange.

Alors que j'arrivais au fond de l'église, voyant qu'une porte à gauche était ouverte, mais pas l'entrée principale, je m'apprêtai à sortir par là dans la rue.

Dans l'embrasure se tenait un homme qui tournait le dos à la lumière, mais quelque chose me frappa chez lui et m'incita à le regarder directement.

C'était le jeune homme de Mission Inn. Il portait la même veste de velours côtelé, avec une chemise blanche déboutonnée et un cardigan. Il me regarda droit dans les yeux. Il semblait ému, sur le point de parler, mais il n'en fit rien.

Le sang bourdonnait dans mes oreilles. Que faisait-il donc ici ? Je le dépassai, sortis et descendis la rue dans la direction opposée à mon hôtel. Je tentai de passer en revue toutes les explications possibles à cette étrange rencontre, mais, en fait, il n'y en avait guère. Soit c'était une coïncidence, soit il me suivait. Et, s'il me suivait, il avait très bien pu me voir aller dans le parking de Los Angeles et dans celui de New York… C'était intolérable !

Durant toutes mes années passées dans le rôle de Lucky le Renard, jamais je n'avais eu conscience d'être suivi. De nouveau, je maudis le jour où j'avais dit à l'Homme Juste mon vrai nom, mais je ne parvenais pas à faire entrer ce jeune homme à l'allure si timide dans un scénario mettant en scène l'Homme Juste. Qui était-il donc ?

Plus j'avançais sur la Cinquième Avenue, plus j'avais la certitude que le jeune homme était sur mes talons. Je le sentais. Nous approchions de Central Park. Le flot bruyant des voitures était dense, les coups de klaxon agressaient mes oreilles et les fumées des pots d'échappement me piquaient les yeux. Pourtant, j'étais soulagé d'être là, à New York, entouré par la foule.

Mais qu'allais-je donc faire avec ce type ? Que pouvais-je faire ? J'eus soudain l'absolue certitude que je ne pouvais pas agir comme l'aurait fait Lucky le Renard. Je ne pouvais exercer de violence. Quoi que cet homme sût, ce n'était plus possible. Cela me rendit furieux. J'avais l'impression d'être pris au piège.

Pour voir s'il me suivait, je descendis du trottoir afin de traverser tout en jetant un regard par-dessus mon épaule.

Soudain, deux mains m'empoignèrent fermement les bras et me tirèrent vivement en arrière. Je me cognai la cheville contre le trottoir, trébuchai et tombai à la renverse. Un taxi passa en rugissant au feu rouge, provoquant des cris indignés de toutes parts, manquant me renverser.

J'étais très choqué.

Bien sûr, je crus que c'était Malchiah ou Shemariah qui m'avaient sauvé. Mais, quand je me retournai, je vis le jeune homme à quelques pas de moi.

– Cette voiture aurait pu vous tuer, dit-il.

Il recula. Sa voix avait une certaine distinction, mais elle ne m'était aucunement familière.

Le taxi heurta quelqu'un ou quelque chose de l'autre côté de l'avenue. Le bruit fut affreux.

Des gens se pressèrent autour de nous et nous reprochèrent de bloquer le chemin.

Mais, comme je voulais savoir qui était cet homme, je ne bougeai pas. Il restait face à moi, à quelques pas, et me regardait droit dans les yeux tout comme il l'avait fait à l'entrée de la cathédrale.

Il était vraiment jeune, vingt ans tout au plus. On aurait dit qu'il m'implorait.

Je tournai les talons et allai me poster contre un mur voisin. Il m'emboîta le pas. C'était exactement ce que j'attendais. Je frémissais. J'étais furieux, furieux qu'il m'ait suivi, furieux qu'il m'ait sauvé d'un accident. Furieux qu'il n'ait pas plus peur de moi que cela, qu'il ose s'approcher ainsi sans crainte.

J'étais très en colère.

– Depuis combien de temps me suivez-vous ? demandai-je.

Je me retenais de grincer des dents. Il ne répondit pas. Lui-même était ébranlé. Je le perçus à quelques détails sur son visage, à la manière dont ses lèvres bougeaient comme pour former des mots et dont ses pupilles dansaient tandis qu'il me regardait.

– Qu'est-ce que vous me voulez ? demandai-je.

– Lucky le Renard, répondit-il à mi-voix, je veux que vous me parliez. Je veux savoir qui vous a envoyé pour tuer mon père.

Note de l'auteur

Ma série sur les anges est une œuvre de fiction. Cependant, des événements et des personnes réels inspirent ce que racontent ces livres. Et tous les efforts ont été faits pour présenter le décor historique de ces romans avec la plus grande justesse.

La mutilation et le supplice d'un jeune garçon juif de Florence est décrite en détail dans *La Vie publique à Florence sous la Renaissance*, de Richard C. Trexler, publiée chez Cornell University Press. Cependant, aucune source ne m'a permis de connaître l'identité de ce jeune homme ou de sa famille, ni le sort qu'il a finalement connu.

La fleur appelée mort pourpre n'existe pas. Pour des raisons évidentes, je n'ai pas voulu introduire de détails concernant un poison réel dans ce livre.

Mes principales sources ont été deux livres de Cecil Roth, l'un, très volumineux, intitulé *Histoire des Juifs d'Italie*, et un autre, plus court mais non moins passionnant, *Les Juifs sous la Renaissance*, l'un et l'autre publiés par la Jewish Publication Society of America. J'ai été considérablement aidée par *Jewish Communities Series : Rome*, l'ouvrage de Hermann Vogelstein, traduit par Moses Hadas, lui aussi publié par la Jewish Publication Society of America. J'ai également puisé dans *Vie des Juifs dans l'Italie de la Renaissance* de Robert Bonfil, traduit par Anthony Oldcorn et publié par l'University of California Press. Le livre de Gérard Noel, *Les Papes de la Renaissance*, m'a aussi été utile, et c'est notamment grâce à cet auteur que je sais que le pape Jules II déjeunait quotidiennement de caviar.

J'ai consulté plusieurs autres livres sur Rome, l'Italie, les juifs du monde entier durant cette période de l'Histoire – ces ouvrages sont trop nombreux pour être cités ici. Tout lecteur s'intéressant à la question trouvera sans peine des ressources abondantes.

Une fois de plus, je tiens à remercier Wikipédia, l'encyclopédie en ligne.

En ce qui concerne le luth à la Renaissance, j'ai écouté beaucoup de musique durant la rédaction de ce roman, mais j'ai été particulièrement inspirée par un album intitulé *The Renaissance Lute*, de Ronn McFarlane. Je me permettrai de recommander la piste numéro 7 : *Passemeze*. Ce morceau s'est révélé particulièrement fascinant et j'imagine bien mon héros, Toby, le jouant durant les dernières heures qu'il passe dans la Rome de la Renaissance.

Permettez-moi de rappeler encore l'existence et la beauté de Mission Inn à Riverside, en Californie, ainsi que la magnifique mission de San Juan Capistrano.

Et permettez-moi, enfin, de remercier avec une gratitude et une ferveur toutes particulières la Jewish Publication Society of America pour tout ce qu'elle a accompli dans le domaine de l'étude de l'histoire juive.

Composition : Compo-Méca S.A.R.L.
64990 Mouguerre

Impression réalisée par Marquis Imprimeur
pour le compte des Éditions Michel Lafon

Imprimé au Canada

Dépôt légal : février 2011

ISBN : 978-2-7499-1359-9
LAF : 1267 B

MARQUIS
Marquis imprimeur inc.
Québec, Canada
2011